Moisés Guimarães
Simone Ricco
(Orgs.)

Vértice

escritas negras

Moisés Guimarães
Simone Ricco
(Orgs.)

Vértice

escritas negras

ISBN 9788592736439

Capa: Dandarra de Santana
Editoração: Agnaldo Ferreira
Projeto editorial: Vagner Amaro
Editor: Vagner Amaro
Revisão: Léia Coelho
Ilustração de capa: Vanessa Cunha

Dados internacionais de catalogação na publicação (CIP) Vagner Amaro
CRB-7/5224

V567   Vértice: escritas negras / Moises Guimarães, Simone Ricco (Orgs.).
           – Rio de Janeiro: Malê, 2018.
           124 p.; 21 cm.
           ISBN 9788592736439

           1. Contos brasileiros II. Título
                                        CDD – B869.301

Índice para catálogo sistemático: Contos brasileiros B869.301

Todos os direitos reservados à Malê Editora e Produtora Cultural Ltda.
www.editoramale.com.br
contato@editoramale.com.br

Sumário

Apresentação

#literaturanegra

Fernanda Felisberto[1]
*Escrever pode ser uma espécie de vingança,
às vezes fico pensando sobre isso.*

Conceição Evaristo

Quando se associa # (hasteg) a uma palavra, ela assume o lugar de palavra-chave, de termo guia para se chegar na multiplicidade de sentidos, que um enunciado pode fornecer, e quando terminei a leitura da coletânea *Livro Vértice: escritas negras*, muitas *hastegs* brotaram, #literaturanegra, #autorianegra, #representavidade, #protagonismonegro, #masculinidades negras, #mulheresnegrasnaliteratura, na tentativa de refazer a cartografia emotiva, que a potência dos textos produzido por um conjunto de 22 jovens escritoras e escritores negros provocaram no momento da leitura, além de forjar possíveis travessias textuais.

---

1   Fernanda Felisberto é professora de Literatura Brasileira do Departamento de Letras da Universidade Federal Rural do Rio de Janeiro e Tutora do PET Conexões Baixada Fluminense.

A literatura negro-brasileira tem sido uma via de oxigenação da literatura nacional, os dramas da elite brasileira, já não são a única lente disponível para a percepção da nossa humanidade negra, esta produção literária contemporânea é absolutamente comprometida com um eu enunciador que se faz coletivo, rasurando o cânone literário nacional, que em insiste em um único projeto de representação para nós negros e negras, além de estereotipar, como uma única ferramenta, são personagens que não são pensados como protagonistas, além da pouca densidade dramática.

O relicário de textos que compõe esta antologia é fruto da **Oficina de Literatura Negra e Criação Literária,** coordenada pela Profa. Simone Ricco e promovida pela Malê Editora em parceria com Moises Guimarães, curador do Seminários de Literatura Contemporânea, que acontece no Centro Cultural da Justiça no Rio de Janeiro, que já se encontra em sua quarta edição neste ano (2018). O que emerge dos vinte três textos está diretamente relacionado a uma trajetória autoral intransferível, que é a experiência de ser negra e negro no Brasil, afetos, branquitude, dores do racismo, auto-confiança, religiosidade e beleza negra, são algumas das possibilidades espelhadas nestes textos.

Por muito tempo nossa origem, nossa diversidade temática, e a forma de elaboração ficcional de nossas experiências, nos rechaçava da possibilidade de assumir a identidade de escritora e escritora, pois não estávamos no perfil do que se entendia como literatura brasileira, o que na realidade é exatamente o contrário, uma literatura nacional que exclui tudo que não reflete sua imagem de privilégios, além de não quer se aproximar de suas leitoras e leitores, na verdade não nos comporta, por isso iniciativa como esta do livro *Livro Vértice: escritas negras,* forjam a possibilidade de encontros, de aderência mas sobre tudo, desvela alegrias e dramas vividos pela população negra brasileira.

O cenário literário nacional está vivendo um momento singular, pela primeira vez uma escritora negra, mineira, Conceição Evaristo, está se candidatando a cadeira 7 da Academia Brasileira de Letras, que não possui nenhuma mulher negra em seu quadro de escritoras, em seus 121 de criação, o que confirma algo que não é novo, o "o brinquedo da literatura brasileira" é uma extensão da elite nacional, como bem afirma o teórico Flavio Khote, por isso que convido a todas e todos a desfrutar da pluralidade de histórias que a antologia *Livro Vértice: escritas negras*, traz para esta cena que não quer se dar conta que outra história está sendo construída fora dos seus limites.

Boa Leitura!

O afogamento no rio das palavras não ditas

Aza Noar

A pretinha que morava perto do rio acordava todos os dias, agradecia a Oxalá, ainda com os olhos fechados, por mais um dia de vida. Abria os olhos, sorria aos céus, e saía correndo de casa, beijando a mata de Oxóssi para observar o rio de Osun.

Ao chegar ao rio, se ajoelhava, fazia suas rezas, fazia sua dança e ia brincar. Ao chegar ao rio, se ajoelhava, fazia suas rezas, fazia sua dança e ia nadar.

Mergulhava nas águas de Osun, com a doçura de quem quer um dengo. Com as tristezas de quem sente pelos que não sentem. Prendia forte o choro, dizia que de lágrima no rio, já bastavam as de Osun, e depois partia, pronta para mais um dia.

Passava perrengue, levava xingo. Voltava pra casa feito cachorro que perdeu briga na rua, mas em vez de ferida no corpo, vinha ferida da alma. Falavam mal de seu cabelo, reclamavam de seu nariz, desdenhavam de suas coxas grossas, maldiziam seus quadris.

Nenhuma palavra a pretinha falava; orava, orava, mas a bênção não vinha. Então voltava pra casa, e implorava que sua Iyá, Osun, lhe fizesse companhia.

Um dia, a pretinha acordou, agradeceu, sorriu, correu, beijou a mata, mas não achou rio nenhum. Que Osun a tinha abandonado, já se espalhava o zum-zum-zum.

A pretinha caiu em grande tristeza, mas foi amparada pelo espanto. Pois sem o rio de Osun pela redondeza, só lhe restava um solitário pranto.

Choro seco, boca vazia. Aos destemperos da vida, era assim, e só assim que a pretinha respondia.

Mas um dia, ah... Mas um dia... Ela se cansou. E feito tromba d'água em cachoeira, sua impaciência jorrou. Ai de quem a importunou, e a tentou humilhar.

A pretinha, de tão cansada, tirou força da falta pra guerrear.

Voltando pra casa naquele dia, sentiu que o ar circulava por seus pulmões, e honestamente estranhava. Embora não estivesse dentro d'água, de alguma forma, antes, ela se afogava.

Chegando à porta de casa, ouviu um som que lhe deu arrepio. Correndo, correndo, correndo na mata, finalmente voltou ao seu rio. Se jogou sem pensar duas vezes. Não queria mais pensar em nada, mas Osun lhe contou, sem rodeio, que ela se afogava era com as não ditas palavras.

"Silêncio é som sagrado, poderoso, edifica.

Mas, se tudo é silêncio, pretinha... Como é que fica?"

Disse Osun, abraçando sua filha, e sorridente por poder voltar, e a pretinha que morava perto do rio, entendeu, que o silêncio (silenciosamente) também pode matar.

Mandinga

Ana Carolina Lacorte

Só pode ser 'coisa feita'. Eu não tenho como conviver com isso. Meu corpo não tem estrutura pra isso... Sou feita de carne e osso e não entendo por que eu fico assim. Eu sei que estou errada... não consigo evitar e ainda me sinto imunda.

Esse povo só pode ser enviado do 'coisa ruim' mesmo. Meu pastor é que está certo: esse tipo de gente não é de se confiar. São tão carregados que nos fazem mudar, perder a cabeça. Claro que nada de bom pode vir dessa gente.

Não existe tambor quando meu Deus é maior. E não me venha com esse papo de ancestralidade. Ancestrais são nossos familiares que não estão mais aqui. Se quer cultuar o diabo, fale logo, fale claramente do que se trata. O diabo é tão traiçoeiro, que sempre está em busca de almas limpas como a minha. Eu fui muito ingênua mesmo...

Mas como eu iria imaginar uma coisa dessas? Quem não é capaz de se derreter empapuçada em tanta melanina. Quem consegue resistir aos olhares daquela malandragem. E aquele andar? Ah! Só pode ser um 'malandro' o que aquele desgraçado carrega! Eu tenho certeza! Tá na cara!

Todos os dias eu chegava do meu culto descarregada, como sempre fazia. De uns meses pra cá, me lembro muito bem, desde o dia oito de dezembro do ano passado, me sinto hipnotizada por aquele homem. Além do contraste daquela pele com aquela roupa branca, ainda me sinto levada por todo aquele gingado.

Às vezes o diabo vem disfarçado de coisas bonitas também. Se engana quem acredita que o traste só se enfia em coisas ruins, feias, obscuras. Ele tá em todo lugar. Inclusive, esse troço que chamam de arte também é obra dele. Agora tem gente falando que aquilo é estética. Tem gente falando que aquilo educa. Agora na escola do meu filho tem um desses lá, depois da aula das crianças. Já falei com a escola. Eu proíbo meu filho de estar próximo a isso!

Não concordo com nada disso que inventaram pra enganar o povo de bem. Só vejo perdição naquele antro. Só enxergo vários corpos tentando me dizer alguma coisa. Só sinto a janela da minha casa me chamar toda vez que ouço o barulho daquele tambor.

Tem um velho e umas mulheres também. Todos fazem as mesmas coisas: se movimentam, tocam, cantam, dançam...

Todos os dias, ouço aquela batida e vejo aquelas pessoas que parecem mais umas almas em busca de libertação. Parecem pessoas... felizes.

Como pode isso?

A mãe da favela

Cecília Rita

Deveria ser uma tarde como outra qualquer se não fosse uma favela, em que o fluxo de pessoas é tão constante quanto o esgoto que corre a céu aberto. Dona Esmeraldina migrou de uma Favela no interior do Espirito Santo para o Rio de Janeiro, quando era muito nova; aprendeu a andar e a pular o esgoto que corria rente a sua porta. Cresceu como crescem as crianças na favela, gostava de ler e por isso sua professora fazia para ela empréstimos de livros que Esmeraldina lia como se saciasse uma fome constante. Não fugiu da estatística, aos 17 anos ficou grávida, interrompendo seu sonho. O filho foi criado ciente do poder da leitura; por isso, aos seis anos Bentinho sabia ler sem atropelar as palavras. Herdou da mãe o gosto pela leitura; ela fez sacrifícios enormes, mas o menino foi selecionado para bons colégios e passou para uma faculdade fora do Estado do Rio de Janeiro.

Já saudosa, se despediu do jovem na Rodoviária Novo Rio, parecia-lhe que lhe arrancavam sua melhor parte, mas precisava deixar o filho voar. Ele tinha vários sonhos. O primeiro começava ali, e ela não podaria suas asas.

Para não se afundar no mar da saudade, começou a tomar conta de crianças, os alimentava, cuidava e ajudava com as lições. Logo começou a ser chamada de mãe da Favela, tamanho era o carinho que tinha pelos filhos que nem eram dela. Às vezes olhava de graça, só para a mãe poder trabalhar ou estudar, todos conheciam seu bom coração. Naquela tarde tão comum, estava dona Esmeraldina com sua vizinha a falar das coisas da vida, assuntos numa favela nunca morrem, quando surge aviado, Luiz um menino franzino que ela cuidava desde que era bebê, chegou como se tivesse visto um fantasma, a Mãe da Favela tentava acalmar quando percebeu que um homem bonito descia o beco, estava bem-vestido. Seu coração acelerou como numa corrida, a chegada era o fim das saudades, Bentinho estava de volta formado em medicina, faria a especialização no Rio de Janeiro. Seus braços foram pouco para abraçar seu filho, seus lábios poucos para beijá-lo, eram poucas as palavras para expressar os sentimentos, eles saíram pelos olhos e escorreram pela face de ambos.

Bentinho voltou para buscar a mãe. Havia alugado um apartamento no asfalto; agora ele poderia ajudar a sua mãe. Dona Esmeraldina ficou tentada a partir com o filho, mas olhou Luiz e os outros meninos e meninas. Como poderia deixá-los órfãos?

Não partiu. Fez Betinho se comprometer a voltar sempre que pudesse para lhe matar a saudade e consultar os filhos de sua mãe...

Quando anoitece no Sul do Sudão

Elis Pinto

Era sempre a mesma história que Ana pedia a sua mãe que lhe contasse. Sobre um menino que pertence a um povo que parece super humano. Que não tem as doenças do povo da cidade e que vive nu em harmonia com seus animais, seus maiores amigos, que são seu bem mais precioso. E com os quais tem umas ligações espirituais.

Ana gostava de acreditar que compartilhava dos mesmos ancestrais que ele.

E a história sempre começava assim:

Uma das brincadeiras preferidas de Armin era correr com seus irmãos até o rio Nilo e ver quem trazia de lá maior quantidade de peixes. E faziam isso usando somente as mãos.

Grande Grande. Era o significado do nome Armin. Não por acaso. Contam que seu povo e sua cultura desde 3000 a.C. habitam os dois lados do rio Nilo, e esse povo é conhecido como o mais alto e mais saudável de todos os povos existentes ainda hoje.

Armin foi considerado grande desde que nasceu. Seu pai era o maior de sua família e sua família tinha a maior quantidade de gado de seu grupo familiar. E quando seu pai viu Zrina a cortejou logo, e com o mais alto dos pulos que já dera em sua vida até aquele momento, conquistou-a. Ela gostou muito do que viu e o pai dela gostou de ver quantos bois tinha a família de Salva Kiir, o pai de Armin. Os dois,

21

então pertencentes aos Dinkas do Sul do Sudão na África, se casaram, e Zrina se tornou mãe dando à luz Armin.

Conheci Armin quando ele fez cinco anos. Era eu então sua propriedade, mas acima de tudo nos tornamos amigos. Ele me abraçou muito, e bem forte, quando me viu. Branco com manchas pretas e os chifres enormes, os dois bem retorcidos, e um tão diferente do outro que ele me considerou o mais belo novilho de todo o rebanho.

Estávamos sempre juntos. Ele acompanhava seu pai, que era pastor. E aos sete anos já pastoreava, aos dez já estava pronto para o ritual do parapuol que o tornaria homem e o deixaria mais atraente para as mulheres, com suas marcas de V que fariam em sua testa. Durante a cerimônia, era preciso não gritar pra ser considerado um homem forte. Eu estava lá, e, olhando pra mim, ele só bufou um pouco, eu mesmo não seria tão corajoso se estivesse no lugar dele. Certamente tentaria fugir, sou boi. E além de tentar fugir dando coices iria mugir tão alto que tremeria o chão de barro.

Armin era um menino feliz e se sentia invencível. Às vezes acreditava ser imortal, pois nunca ficou doente em toda a sua infância. Nadava por horas e podia ficar mergulhado sem respirar por mais minutos que qualquer outro menino. A cinza de esterco queimado que usava para cobrir seu corpo protegia sua pele de picadas de mosquitos e de outros possíveis problemas. Sua comida era sempre diretamente retirada da natureza.

Mas isso era antes de as guerras começarem. Pois na guerra os meninos também eram transformados em soldados, e aí: adeus infância! Ele não queria ser um deles. Ele gostava era de treinar seu salto pra quando chegasse sua vez de conquistar uma esposa. Treinava saltando próximo a uma árvore e a cada salto pegava uma fruta com as mãos. Além disso, Armin já havia escolhido sua esposa e estava só esperando o seu momento. Ela era um pouco mais alta que ele e como a maioria das meninas de sua idade tinha cabelo somente no topo da cabeça, e bem pouco; a pele escura como a noite realçava os grandes olhos vívidos de um branco azulado que lhe parecia saltar do rosto, e a deixava ainda mais linda quando os combinava com seus colares de miçangas cor-de-anil, que usava no pescoço como única vestimenta.

Passados cinco anos, a guerra pelo gado não terminara, e a vida de Armin se modificou muito. Assim como a de seu povo e suas tradições. Nem teve o prazer de participar do concurso de beleza para os homens. Era assim: eles se recolhiam, e por um longo período tinham que ficar sentados em baixo de uma árvore, sem fazer nada mais além de comer, e ficavam lá, comendo até ficarem bem gordos. Porém não havia mais como manterem seus costumes diante de tanta disputa e violência. Agora os que não queriam entrar na guerra tinham que ir à cidade vender seus produtos, leite, manteiga, e até amônia feita a partir de nossa urina. Ganhou dinheiro e comprou mais gados, pois essa era sua maior fortuna e precisava disso para se casar e garantir sua descendência. Eu ajudava copulando e fazendo mais bonzinhos. Mas Armin não tinha mais tempo nem inocência no coração pra brincar comigo. Às vezes me acariciava, mas precisava era de ganhar dinheiro.

Então foi isso que Armin fez. E no dia mais triste de nossas vidas ele me vendeu junto com todos os outros, antes que precisasse pegar em armas pra defender sua família e seu rebanho, e em seguida pratique. Casou logo com Akina e fugiram juntos para o Ocidente. Hoje, longe de sua cultura e de suas tradições, afastado de suas raízes, precisou abrir mão do seu modo de vida e não se sente mais um super. Como sei disso? Nossos espíritos ainda se falam principalmente à noite quando olhamos para as estrelas que brilham na escuridão como o sorriso da mais bela moça Dinka que já se viu, Akina. E, quando vou ao Nilo beber água à noite, as vejo refletidas na água, então sei que Armin vive.

Ana dorme profundamente, e em seus sonhos vê manadas de gados brancos junto a meninos nus, tão negros e lindos como ela, vivendo num lugar magicamente iluminado, coberto por uma névoa de poeira branca e suave como as cinzas que cobriam o corpo de Armin. E nesses sonhos era ela a Akina com seus colares de contas azul anil como o céu ao entardecer no Sul do Sudão.

Terra Negra

Erickson Dos Anjos Amaral

Despertava lentamente, sem pressa para viver as intimidades com a vida. Por isso, expandia-se sem excessos ou escassez de movimentos. Permitia-se viver o todo do ritual de reverência ao tempo. Prolongando seu ritual matinal, recebia das folhas o primeiro alimento do dia. As folhas deitavam em sua pele ofertando a força matriz do ventre da mata. Sua pele era uma linda Terra Negra. Negrura desenhada com os caminhos da liberdade, que ofertava os segredos das águas em forma de oração e incorporava confiança com o silêncio das folhas. Seu suor eram lágrimas grávidas de sorrisos e lutas semeados na idade do tempo. Tinha como destino abrir portas ancestrais no coração do instante. Recebido o alimento, as sabedorias das folhas, Terra Negra pulsante se entregava à gira do vento. Ouviu no zunido do vento a sabedoria de vó Zulmira "menina, para partilhar o alimento-vida é preciso prepará-lo no seio do tempo". No seio do tempo, com a gira do vento, ela iniciava a preparação da oferenda. A tarde chegou junto ao canto das folhas e Terra Negra fez o sinal aos seus filhos. Era hora de dançar e cantar para os orixás. Rum, Rumpi e Lé saúdam as matas, o ar, o fogo e as águas. Abençoou e convidou seus filhos a caminhar para os braços do mar. Em procissão se despedem do sol e cantam para a lua nascer. Dançam habitando de vida tudo aquilo que se encontra deserto. Chegado à praia, o brilho da lua já presente vestia os corpos-fé dos filhos e filhas de santo. A lua alumiava intensamente a pele de Terra Negra. Encantada faz o sinal aos seus filhos e filhas; era hora de abraçar o silêncio. Com gesto encarnado de vida profunda colocava canjica, rosas e frutas no barquinho. Calmamente, íntima ao tempo das águas, fazia as orações ofertando os presentes a Olocum e sua filha. Já na jangada, com o barquinho deitado em sua pele, faz sinal aos seus filhos que se encontram nas mãos da areia. Tambores e corpos celebram as existências que habitam o mar. A noite ia madrugando no compasso das ondas em seu balé com o vento. Anunciando a chegada da rainha. Terra Negra inicia a partilha. Encantada, vestida com os brilhos das estrelas prateadas, colocava o barquinho no colo de mãe do mar. Sentia a presença da Yabá com seu abebé, e sua espada prateada abrindo caminhos ao povo do Aiê e ofertando segredos das águas na negrura de sua pele. Terra Negra ofertava presentes à linda senhora negra do mar, Iemanjá. Terra Negra, mãos em transe. Mãos da Yalorixá Muzenza Ngana das águas do terreiro Casa das Folhas, que se entregava transbordando à liberdade e ao amor das águas. O Tempo, emocionado, ofertou seu sorriso se despedindo da madrugada. Eram os primeiros raios de sol de dois de fevereiro e, nascendo junto a ele, as mãos de águas de Ngana. A Terra Negra despertava lentamente e semeada de intimidades das águas.

Caio

Fabiana Pereira

– Tá indo pra onde menor?

– Vou subir o morro.

– Tu é morador?

– Sou sim, sou sim. Estou vindo da escola.

– Qual é desse Iphone aí, menor? Qual é a treta do bagulho?

– Só porque moro na favela eu não posso ter um? Não posso subir o morro ouvindo meu celular?

– Tá me tirando, menor? – Uma dura. Socos, pontapés, palavras de ameaça no canto do ouvido, vizinhos se escondendo de medo… Caio era nome e verbo da carne que se fez nele.

Tia Maria, uma das matriarcas da comunidade, o vê de longe e parte em sua defesa: «Deixem o menino! Ele é nascido e criado aqui!»

Caio se levantou e levanta todos os dias (re)fazendo as palavras. Luto foi a primeira delas.

Feira das Yabás
(Seriado baiano)

Fabiana Pereira

Naquela tarde de inverno, que mais parecia um fim de verão, com um céu furta-cor que se anunciava em típicas quartas, ela se levanta com esforço do sofá que a abraçava toda. Aquele abraço que ela não tinha, que não vinha, que insistia em se fazer no sofá. Ela não se cabia. Se escorria sempre nessa água dela que o sofá catava. Se apegava aos cantos e contos de água parada. Mas, apesar disso, tinha nela um quarto de vento. Que lhe vinha num mar de ressaca, numa chuva na cara, numa correnteza de rio, num céu rosa atípico de domingo… que lhe vinha.

O moço nunca coube no aquário que lhe dera. Era peixe grande de mar aberto. Ela, água doce de rio. Que se escorre feito brisa no rosto.

Esse encontro era pororoca, violento, temporário. Sendo a beleza que dava no tempo. Mais que isso: era abuso do Cosmos, era desafio, sururu, demanda, quizila, fofoca. E eles gostavam. Tentavam se ajeitar nisso.

Nesses dias de vento e cabelos nas ventas, ela saiu de vestido branco rendado, bem usado nas suas rodas de samba e de jongo, desafiou o domingo e o furta-cor do céu a olharem para o seu vermelho na boca.

A vontade do encontro já o era. E o foi. Os dois corpos pretos se encontram em meio à multidão de corpos vestidos de branco. Da roupa ao fundo dos olhos se acharam. Um encontro à la multidão de um romance baiano de Jorge Amado. À la festa em dois de fevereiro.

Mas era tarde de inverno. Não teve umbigada. O caldo não entornou. O vento mudou na umidade do tempo. E eles não se suaram. Era dia de peixe no mar. Era domingo.

Arte da alma

Gabriela Sousa

Lá estavam as duas entrelaçadas em um abraço. Nossa, que abraço! Não havia espaço para as palavras, somente para o afeto. Elas até tentavam se afastar e ainda abraçadas se olhavam, mas o corpo falava pelo abraço e não pelos lábios.

Até que uma palavra se solta da garganta com uma voz ainda trêmula. Saudades! E o abraço dá espaço a um longo olhar. Então as palavras se soltam ...

Após certo tempo a conversa tomava o rumo de sempre. Já que ambas tinham a mesma paixão, de formas diferentes. Mas moviam seus corpos, pode-se dizer, com a mesma emoção.

Era tudo tão parecido, mas também tão diferente ... roupas, vestes, objetos, acessórios, muitos eram os símbolos utilizados para expressar toda aquela magia.

Elas ficavam tão felizes por poderem compartilhar suas emoções e encantamentos. Como era bom ter alguém que compreendesse o verdadeiro sentido das batidas de seu coração. O tempo e a distância até as afastavam, mas a paixão pela história do seu povo as unia sempre.

Foi a maior felicidade quando descobriram que o destino da Companhia seria sua cidade natal. Após compartilharem tantas vivências quando ainda eram duas meninas, agora, mulheres, em espaços diferentes, podem se afirmar protagonistas de suas histórias. Uma com sua expressão corporal pelo sagrado, a outra com sua expressão corporal pela arte. Mas o movimento de seus corpos as movia na mesma direção, a dança!

Ambas têm a dança como forma de expressar aquilo em que acreditam. Essa rica cultura deixada por um povo que, mesmo tendo vivido um grande sofrimento, não era capaz de apagar sua história.

As duas se lembravam daquele antigo teatro da praça no centro da cidade. Continuava lá do mesmo jeitinho, um espaço onde elas nunca puderam ter os papéis principais, pois nunca se encaixavam nas características físicas dos personagens. Agora uma seria a princesa, papel tão sonhado por ambas. Não uma princesa qualquer, esta tinha história de um povo ancestral. Tinha em seu corpo as pinturas que simbolizavam sua realeza. E o movimento do seu corpo poderia embalar suas emoções com toda a dança daquele espetáculo.

Quem naquela cidade iria pensar que a menina Amira poderia representar uma princesa naquele palco. Mas ela sempre soube, já que em seu nome estava expressa essa verdade. A felicidade não cabia no peito de Hanna. Ela queria estar na primeira fila para assistir à sua irmã e aplaudir de pé ao final daquele espetáculo, que falava tanto ao coração de ambas.

Foi no Terreiro da avó que elas conheceram o batuque que embalava seus corações. Foi lá que seus corpos iniciaram a paixão pelo movimento. Dali em diante, tinham a certeza de que a distância até poderia conseguir separar as duas. Mas a dança. A dança, como expressão de suas almas, poderia deixá-las unidas mesmo com a presente distância.

Duas cartas

Isabela Godoi

Ivana recebeu uma mensagem. Já estava de saída. O ponto de encontro era próximo do destino final. Não sabia o motivo de ser convocada àquela conversa atravessada. Mas sabia da urgência.

Foi ao encontro de Cindy. Saiu da estação de trem e foi recebida por um pagode de mesa de primeira. Olhou, sorriu e seguiu.

– Onde fica a Fazenda Viegas? Perguntou a alguém de rosto amigável.

Atravessou a Avenida Santa Cruz e logo já avistou a Fazenda. Chegando, encontrou Cindy. Se abraçaram. Um baseado, uma carta e um rosto aflito. Depois de alguns tragos, a notícia: Tiê havia sido presa. Ivana engoliu em seco e deu mais um trago, que aumentou a secura de sua boca. Logo quem tinha nome de ave e passarinha era ... Alçou voo pra tão longe, queria novos horizontes alcançar.

Na carta havia um trecho dedicado a Ivana. A princípio, se perguntou por quê. Haviam se visto apenas uma vez. Entre conversas madrugada adentro, fora convidada para uma Tsara Cigana. Lembrou que em momento de catarse escreveu uma carta à Tiê, porém a remetente era outra. Assim também era a carta de Tiê. Alguns remetentes desconhecidos para Ivana. Destino final, Cindy, sua irmã.

O destino final da carta de Ivana era um amor que passou e ficou. Porém no meio do caminho um passarinho lhe contou que a vida não para. Às vezes o que acontece são pausas. Depois segue, vai e volta se for pra ser. Voar era destino e pausas são recomeços.

Vermelha

Jaciara Nogueira

A primeira coisa que vi ao acordar foi meu braço tão russo como as pedras ao meu redor. Era o que acontecia por dormir no chão usando um membro do corpo como travesseiro. Mas, de qualquer forma, todo o meu corpo já estava coberto de cansaço e poeira havia dias; e como poderia ser diferente? Havia destroços por toda parte e novamente me vi vagando por ruas cinzentas de estrago, de guerra, de intolerância. Ruas cheias de dor e vazias de compaixão. Encontrar água e comida ainda era minha meta, mas o pior era ter que continuar prosseguindo com a trilha sonora de rojões, festas de explosivos e demolições inesperadas – um simples "crack, crack" e tudo podia ruir em segundos.

Tinha me perdido dos outros voluntários e o único que ainda estava comigo era Deus – embora às vezes fosse tão difícil imaginá-Lo ali. Lembro que até encontrei um rapaz igualmente abandonado, mas sua companhia não durou muito; sua túnica, de longe, deveria ser uma poça vermelha de sangue com pernas. Ainda assim, era bom falar com alguém, mesmo que não durasse. E realmente não durou.

– Eu não sei quem você é, nem no que acredita, só peço que não desista. Encontre refúgio – disse ele antes de partir. E pensar que eu chegara ali para ser o refúgio dele e de tantos outros. Larguei o samba no fim de semana, a praia dos dias quentes, o caos aceitável de minha rotina, minhas futilidades, minha língua e país para estar naquele inferno salvando vidas e, agora, eu era uma dessas vidas.

Caminhei por um longo ou curto tempo – já não conseguia discernir. A testa ardia pelo sol ou por um corte – também não pude definir. Até que pisei em algo estranho, macio. Uma nuvem, talvez?

Eu já havia morrido? Ao levantar o pé surrado de pele rachada, vi um urso de pelúcia e o levantei. Tinha uma fita vermelha desbotada no pescoço, estava sujo, tufos lhe faltavam, a cabeça insistentemente caía, e de forma curiosa constatei que estava diante de mais um morto. Atrás do brinquedo, vi a imagem de um zumbi em uma face espelhada. Apesar de toda a poeira que cobria a estrutura, podia enxergar uma pessoa que parecia negra, mas se pintara tanto de cal que me colocou dúvida sobre sua cor real. Suas roupas pareciam ter sofrido toda sorte de torturas possíveis, mas ... quando vi seu rosto, a reconheci.

A mulher era eu. Era um reflexo meu em uma vitrine que, por milagre, ainda mantinha um pouco do que fora um dia. Mal podia me reconhecer. Foi então que me senti como a marca que agora via que riscava minha fronte: vermelha. Borbulhei por dentro, raivosa a ponto de atirar o urso como uma bola contra o resto de parede que me reproduzia. Não conseguir reconhecer minha própria imagem? Ainda estar naquele pedaço de caos no planeta depois de chegar ali cheia de solidariedade? Então aquele seria o meu fim: sucumbir a todo aquele terror? E as orações que tantos no mundo estavam fazendo? Cadê? Pra quê? Urrei!

Passei a marchar com fúria querendo, pela primeira vez na vida, estar armada e atirar nos grupos que só sabiam conquistar territórios e instalar o pânico – como se isso não fosse gerar mais conflito. Mas, repreendendo meu desejo, caí num tropeço infantil, deprimente e vergonhoso. E deitada no chão craquelado de entulhos e pó, chorei. Toda a raiva e coragem se derretendo em lágrimas de desespero. Agora eu entendia bem por que as pessoas fugiam, por que quase se matavam buscando uma vida melhor do que aquela. Antes de chegar, não fazia ideia e percebi que só queria ser uma heroína sem ver de fato o furor da guerra e sua cor sempre tão vermelha!

Foi quando vi um pequeno carrinho motorizado parado ao longe e um homem de vestes brancas se aproximando, correndo. "Eu morri e Deus veio me buscar dirigindo?"– pensei. O médico me fez levantar, apoiou meu braço em seus ombros e quando dei por mim mais duas pessoas me cercavam, me colocando no carrinho.

– Somos da junta de missões. Vamos levá-la a um abrigo.

Eles me tiraram daquela área desolada e eu vi que iria melhorar, ia me fortalecer, me alimentar, descansar, mas não iria embora. Mais do que nunca entendi o motivo de ter vindo de tão longe, e faria tudo o que pudesse. Tudo.

Desterro

Jaqueline Britto

"Nasci onde o rio fazia curva para descansar"

Ana Cruz

Desenterrarei as memórias infantis, a fim de expulsar as estórias que me assombram a vida. Não sei bem como (re)contar aquela infância triste e repleta de cicatrizes, e nem ao banhar-me na cachoeira consigo desterrar esses demônios que fecundam a minha subjetividade. Talvez este processo letrado de narrar um sujeito em primeira pessoa seja o reflexo de narrar às muitas Marias que existem em meu ser mulher negra. Um pretume que pede vez, palavra e passagem.

Iniciarei o meu ritual de passagem! Chega, não aguento mais! Decidi libertar-me desse chicote que pesa em minhas costas e segura meus ombros. Dessa culpa sem explicação. Desse buscar sem respostas. Do exílio duplo existente em mim.

No passado, Mama Iami sempre relatara que mulher era como uma roupa virada ao avesso. Eu com meus nove anos de idade não compreendia uma só palavra ecoada de sua voz férrea; no entanto, sabia que aquela negrura tinha muito para me contar desde os tempos em que comecei a andar.

Certo dia, eu estava sentada olhando para o rio e saudando Òsún. Durante aquela conversa de mãe e filha, contei pra senhora das águas de mel sobre este sentimento de solidão que me tomava. Em seu espelho peixes coloridos enfeitavam o apetrecho mais duvidoso das certezas sagradas. Olhei e de repente vi uma imagem refletida destoante da de filha da rainha abelha. Entendi o recado e segui minha trilha pensando na imensidão de significados que o espelho me traria.

A verdade é que nasci do útero de uma mulher de Òsún, mas em minha vida reinava Òbá. Ainda me lembro do vazio no peito, dos apertos e da sensação de ter engolido um boi sem conseguir pôr pra fora. Era um sufoco sem fim. Enfartei diversas vezes em lágrimas e choro por não entender o que havia comigo. Chamava Maria dos Remédios e não tinha a erva pra curar a minha própria dor. Nesse tempo eu era ferida aberta que não cicatrizava.

Neste rito de passagem sou tinta e sou papel nas mãos de uma menina. Sou escritura de mim mesma. Uma sujeita que ainda segura a pena e a espeta naquele velho tinteiro de papai. Por falar em pai, ainda não tive tempo de contar sobre a ausência forçada de meu pai. Sobre o papel arquivado em cima da mesa e o falso desdobramento que o acusara de roubo. Vocês já viram alguém roubar, andar livremente pela cidade indo para o trabalho e três dias depois morrer com um tiro de carabina? Pois é, eu vi! Mas dessa travessia não quero falar! Gotas de vermelho ácido preencheriam a sala. Ponto e vírgula!

O tempo passou e, ao retornar ao rio formado pelas águas da cachoeira da rainha mãe, pela primeira vez estive em paz de espírito, aquelas memórias e aquele desterro não me atormentavam mais. Da solidão fiz meu remédio e descobri a erva que sarava minhas feridas. Pelo menos alguns de seus arranhões. Hoje tenho cicatrizes. Algumas ainda teimam em abrir feridas, mas o sangue não escorre mais dos papéis e nem meu corpo se entope de pus. As cicatrizes são da alma.

Sou aquela que encarou o mais duro dos desafios: mergulhar nas próprias profundezas enfrentando as duras correntezas do eu!

A esfinge não visita mais meus sonhos. Em seu lugar ouço o barulho de rios, onde Oxibatás, Maravilhas Bonitas e Amores Perfeitos me dão vida. Hoje Òbá existe na face oculta de Maria desenhada pela imagem refletida do espelho de Òsún!

Doze Marias
e outros nomes pra contar...

Jacqueline Òba

Essa é a história de Maria! Ou melhor, é a história de outros nomes pra contar que também se chamam por Maria. Singulares ou plurais todas trazem consigo as rachaduras do labirinto que é a vida: um imenso caminho onde percorrer nem sempre vem acompanhado de flores, doces e palavras sutis. Às vezes a trajetória se dá na experimentação do cotidiano fel.

Toda Maria tem outro nome, mas nem todas se chamam Maria. Umas são Dandaras, Kialas, Makedas, Kehyndes, Àyós, Niaras, Ísis e Kaialas. Hoje quero falar das outras Marias! das Marias que carregam dores, das Marias que carregam auxílio, das Marias que carregam remédios, das Marias que carregam Rosas, das Marias que carregam vitórias, das Marias que carregam o peso da santa.

A noite não adormece

nos olhos das mulheres

há mais olhos que sono

onde lágrimas suspensas

virgulam o lapso

de nossas molhadas lembranças.

Conceição Evaristo

Maria das Dores

Este é o nome dela. Dor no corpo, na alma e na voz. Dor multiplicada por três! (3x) vezes o nome Maria na figura de mulher negra que és.

Era dia 12 de outubro, dia de Nossa Senhora Aparecida, a padroeira do Brasil. Uma santa negra que, reza a narrativa dos pescadores, foi encontrada em um rio que o mar de vez em quando visitava para levar mais peixes pra lá.

No bairro do Engenho Novo fiéis rezavam para uma santa branca com a esperança de serem perdoados de seus pecados negros.

Maria das Dores era uma mulher de pele retinta, alta, com carapinha tipo 4c, e dona de um sorriso estrelar. Naqueles tempos o colorismo ainda não tinha adentrado as portas das casas do ano de 1954. O que se sabia era que quem preto não era branco sabia ser.

— De joelhos na Igreja de nossa Senhora do Desterro, Das Dores, como era conhecida no bairro, rezava com clamor pedindo à santa preta que a curasse da dor. Da dor na alma de ser Maria, uma antítese e metáfora dos dias aos quais nem a história pôs fim. E ela se perguntava:

— Como pode a mãe de Deus ter em seu próprio nome dor e em seu corpo ser santa?

Maria das Dores não entendia que a dor que sentia era a de muitas outras Marias. Naquele dia 12 de outubro, o Engenho Novo ainda carregava as marcas da chibata da Lei Áurea que nunca a libertara da dor. No lugar de cordas, outros tipos de açoite tocavam o corpo negro reluzente de Maria. Em plena Ditadura Militar nem a mãe de Deus iria se salvar!

Dor era o substantivo comum mais ácido da vida de das Dores. Seu apelido e o eco ao ouvir o "s" plural a faziam adentrar às muitas memórias contadas por sua mãe Maria da Vida. Quando menina, pensava que um simples "e" pudesse separar seu nome e sua vida da dor. Mas Maria era negra! Dor era o que gente de cor fora condenada a passar quando lá atrás, forçados, atravessaram o mar.

Maria da Vida é uma preta velha boa nas garrafadas e, quando no São João uma criança aparecia com cobreiro, lá ela estava, sempre pronta pra tentar dar a vida. Era sarna, cachumba, anemia profunda, dor no ciático, de parto e criança pra berrar. Da vida estava lá.

Da vida, dava à vida tantos corpos cansados de tanto rezar pr' uma santa que nunca vinha ajudar. A santa branca que em seus sonhos sagrados e repletos de esperança desterrava a fé daqueles que nas memórias insólitas clamavam por paz.

Maria das Dores nunca entendeu pra que santos seus irmãos e irmãs rezavam e pra quais acendiam velas.

– Estavam eles a desenterrar passados de sangue ou a velar corpos presentes com seus candeeiros? Maria se perguntava e não sabia responder para si mesma.

Naqueles tempos, Maria cursava a Formação de Professores no Carmela Dutra. O trânsito mais compensatório de sua vida de menina-mulher era observar os locais por onde o ônibus passava até chegar a Madureira. Nos instantes infantis em que a brincadeira preferida era ser professora, quando a água dava trégua e resolvia subir os canos do morro, e ministrar aula de literatura. Aquela imaginação acabava quando a condução descia o viaduto de Madureira e a escola era avistada.

No morro, a mãe de Maria, outra Maria, contava histórias pras crianças de que cuidava e lhes ensinava, como dizia: – ser gente!

No caminho de volta pra casa, Maria passava pela igreja, lá no mesmo horário sempre havia missa, e o padre, no seu tom mais grave de racismo, discursava sobre o carma negro. Maria não aceitava e ia embora. Afinal de contas só podia rezar pra uma santa negra!

Certo dia, enquanto a criançada estava sentada em roda na comunhão de silêncios e atenção, a cada entoar de voz de Da Vida, Maria pra si dizia que no lugar de Das Dores queria ser As Dores de Maria. E assim foi! Quando tinha seus trinta anos, As Dores de Maria resolveu escrever sobre "As Dores de Maria", agora não como pessoa que sente a dor e sim de outras negras tão Marias e tão dolorosas em suas travessias de mulher.

Ela sabia que existiam muitas Marias, mas o principal é que todas tinham outro nome pra contar. O dessa era Dandara! Força brava que o homem branco desafiou e que com a lança de Iansã o derrotou. Um rosto de duas faces: – uma que é Maria e a outra que é Dandara!

Aguardente

Jade Medeiros

Carlos vive na Central do Brasil e trabalha na Glória. A sorte dele é não precisar ficar horas no transporte público até chegar ao trabalho. Fica ali pela rua da Glória perto da Cândido Mendes. É um dos vendedores do Shopping Chão. Botas de bico fino, 10 reais. Coçador de costas, 5 reais. Enciclopédias com fotos de felinos, 15 reais. Lanterna pra *bike*, 10 reais. Se for pro cliente comprar logo, faz até desconto. No canto ao lado dele, junto ao portão de uma loja fechada, um pacote de ração para gatos fechado com pregador de roupa. Bem próximo, uma vira-lata preta na coleira. Fofa, sobe nas pernas de quem passa para pedir carinho.

Apesar dos poucos dentes na boca, Carlos articula bem as palavras e adora conversar. Ele divide sua casa com alguns gatos. Eles chegam, comem, vão. A gata está prenha e vai trazer os filhotes para doar no shopping chão.

– É melhor castrar a gata o quanto antes! – disse uma cliente.

– O abandono de animais é uma problemática na cidade, a castração evita isso... – completou o companheiro dela.

Carlos já tentou, mas desistiu. É mais fácil trazer os filhotes, que insistirão em continuar a nascer, para doação. Ele já foi até o *container* de castração gratuita no Largo do Machado. Em vão, é necessário um número de telefone para fazer o cadastro e castrar a gata. Burocracia. "Que ela continue tendo filhotes", eles devem ter pensado. Burocracia. *Burrocracia*. O anti-inflamatório a ser dado depois da cirurgia é caro, 27 reais, e não dá pra pagar.

Carlos não tem telefone e nem quer. Carlos quer vender, Carlos precisa vender. Ofereceu a bota por 5 reais para uma menina que passou, mas ela estava só olhando. Precisa de saúde, também. Atendimento digno. Certo dia, ele percebeu que o saco estava do tamanho de uma manga-rosa. Foi até o posto de saúde, mas não pode ser atendido porque o posto não correspondia à área geográfica em que ele mora.

– Que área? – questionou.

Burrocracia. Ameaçou tirar as calças para mostrar o tamanho do saco. Mas o constrangimento e o pudor dos recepcionistas o levaram até a coordenação do posto. Transferiram-no para um hospital na Piedade. Piedade. "Que área?" lembrou. Ele mora na Central do Brasil. A consulta foi marcada para dali a um mês. Prevendo as dificuldades que enfrentaria, achou melhor se precaver. Foi até uma *lan-house*, pesquisou no Google "Como retirar hérnia do saco." E no dia da consulta mostrou pro médico o que ele deveria fazer, mas o doutor não tinha sequer material para realizar o procedimento.

– Precisa de quê? – perguntou.

– Seringa – o médico respondeu.

Foi na farmácia e comprou seringas, seguiu para o bar e comprou uma garrafa de um litro de aguardente. Voltou pra casa, tomou banho, jogou meio litro da bebida no saco e bebeu o resto. Puxou ele mesmo com a seringa o líquido escuro do saco, tirou tudo. Depois de um tempo, a hérnia voltou e, sem perder tempo, Carlos repetiu o procedimento com a seringa. Não deu muito certo. Encontrou um bálsamo de pele no armário do banheiro e passou no saco para aliviar a dor. E, assim, conseguir tirar tudo até sair uma espuma esbranquiçada do seu escroto. Nunca mais a hérnia voltou.

Retornou ao hospital na Piedade, procurou pelo médico que se tinha negado a atendê-lo, abaixou as calças exibindo suas bolas em tamanho reduzido e berrou para quem mais ali pudesse ouvir:

– Tirei tudo!

– Como você fez isso!? Que remédio você tomou? – o médico estarrecido falou sussurrando, como se quisesse emudecer seu quase paciente.

– Tomei nada! Tomei cachaça!

Panela de Pressão

Luciana Fernanda da Silva (Luz)

Tina queimou os dedos na panela de pressão de sua avó Lena e saiu gritando pela cozinha um "ai, ai, ai, vóóóó", mais alto do que o grito de aleluia do pastor da igreja do fim da rua. Despertou o riso da irmã mais nova. Correu para o banheiro para deixar a água fria acalmar sua dor.

Mirtes, que não se aguentava de rir, saiu desatada pelo corredor a chamar a vó, que já vinha em desabalada carreira. A pequena, agarrada nas pernas da avó que tentava entender o acontecido, interrompeu o diálogo confuso rogando-se de nunca ter queimado mão em panela nenhuma, apesar de ser sempre repreendida por chegar perto de fogão.

– Tá vendo, vó, eu que sou criança nunca queimei mão na panela. A Tina é que não devia se aproximar do fogo. E ria...

– Vó, foi só um acidente. Apelou a enferma. Menina abusada! Manifestou-se ofendida.

Dona Lena, que havia largado a costura no sofá e tinha desenrolado todo o novelo que ficara preso no seu vestido, vendo que o caso não era grave, respirou fundo e docemente bronqueou:

– Eita menina desastrada! Avisei para pegar com o pano. Vem cá, deixa a vó ver direito.

Cabisbaixa, mas aliviada pelo açúcar da avó, entregou-lhe as mãos em confiança, porque sabia que não havia mal que as ervas de Dona Lena não curassem. Estendeu o braço direito nos ombros da neta, conduzindo-a até a cozinha. Lá, sentou-a à mesa e encheu um pote com água para que descansasse as pontas dos dedos em brasa. Foi ao quintal colher umas ervas para fazer uma pomada.

Voltou e colocou-as na cumbuca com água de molho. Andou a terminar o jantar. Despejou nas ouvintes toda educação sobre alertas com panelas que havia repassado durante os treze anos de uma e seis da outra. Enquanto falava, o cheiro do feijão ia ficando mais atraente e a barriga da pequena Mirtes começara a roncar faminta.

– Vó, que cheirinho gostoso. Feijão, eba! Bradou feliz.

Então Mirtes observou sua vó exaurir a pressão da panela apoiando o pino com o garfo, técnica que havia já aprendido com a mãe. Logo após, viu-a temperar o feijão. Conheceu a folha do louro e o curry. Arroz e quiabo também cozinhavam. Logo, seria a hora do jantar da casa.

Ela estava agachada ao pé da mesa, no chão com suas bonecas, cadernos e lápis. Condoída pela dor da mais velha, pintava sua solidariedade numa folha. Desenhava Tina na beira de uma cachoeira, porque sabe que ela é filha das águas dos rios e cachoeiras. Ao mesmo tempo, ouvia com atenção os ensinamentos da avó.

Ouviu-se o barulho das chaves no portão. Era a mãe que chegava do trabalho no hospital. Dona Wilma era enfermeira havia muitos anos e tinha dois empregos. Poucas vezes conseguia fazer refeições com a família. Hoje, então, era dia de festa.

Tinha vindo pela rua suspirando pensando em Mauro, o segurança da empresa. Pensava que parecia boa pessoa e já a paquerava já fazia mais de um ano. Ao virar a esquina, acenou para a vizinha apoiada no muro feito as namoradeiras. Sorriu, pensou nas filhas e foi buscando na bolsa o molho de chaves enquanto caminhava.

Rodou a chave no portão cantando um samba da Jovelina. Abriu a porta da sala e recebeu de supetão um abraço da mais nova, que, faladeira, desatou a contar o 'causo' de hoje.

– Calma, pequena! Pediu da cozinha Dona Lena rindo. – Finalmente, minha Wilma! A gente só estava te esperando para jantar.

Wilma beijou-lhe a testa e pediu a bênção. As meninas pediram a bênção da mãe. Contaram-lhe a história, e avisaram a ela que não iria repassar o sermão que a avó já tinha dado. Lavaram as mãos na pia da cozinha e sentaram à mesa.

De repente, Mirtes interrompe a refeição e desce da cadeira para pegar um desenho, que entregou para Tina.

– Toma, Tininha! Esse desenho é você indo tomar banho na casa da Deusa da Água e a panela de pressão se afogando pra aprender a não queimar a mão das pessoas.

Rústico

Lu de Oliveira

Ele estava reclamando sobre o tempo que passo com o violão, aquele pelo qual paguei em torno de duzentos reais no centro do Rio. É esse homem que beijo e sinto um gosto amadeirado em seu paladar, um sabor próprio, como o cheiro daquele violão duro que toco. Me custa soar notas bonitas. Um homem grande e gordo como esse violão de estudante, aquele corpo em que me debruço como prova de minha feminilidade ao cantar aquelas notas, agudas, graves, dificilmente tocadas na minha ansiedade, na minha insistência.

Aquele garoto vive comigo; num tiro de amor, sua rusticidade enciumada com a minha existência atirada se transformam em um monstro ou o salvador, que me acusa e me delata numa companhia, um carinho, um violão. Aquele homem de curvas grandes e acentuadas. Eu o observo, questionando-me por não conseguir tocar músicas já internalizadas no meu corpo.

Aquele homem com quem durmo, nessa rotina que me transforma, diariamente, em uma menina apaixonada por seu rosto de pelos grossos, que me debruça sobre seu braço violão, a fim de compartilhar toda minha delicadeza com quem me responda como tal. Cordas finas, toco para falar de amor, discussão fervorosa que travei por questões de ordem prática, para que a prática tornasse aquilo possível.

Aquele companheiro com quem divido tudo o que tenho por amor. Violão que toco pelo interesse em descobri-lo no consolo desse coração amante, homem forte que só me dá madeirada na alma, alcança minha parte mais íntima, minha arte, e, quando sou perversa, peço que meta aquela mão pesada em minha cara.

Aquele cara que avistei na enseada de Botafogo. Segurei pela mão e até então não soltei, aquele homem que amo e tenho a missão de torná-lo livre, para que eu não sofra de amor e apenas o ame, como amar um violão, livre, que fica a maior parte do tempo parado me relatando... Para mim é a formação poética que me ensina tantas miudezas, e continua parado me olhando, após longas jornadas de trabalho.

Aquele homem com quem divido minha vida como também divido minha vida com a música. Que nunca consigo parar de tocar, é o homem para quem passo café, lavo as cuecas, espremo os cravos... Para quem pago as contas, e quem paga as minhas também, é o mesmo homem com quem pratico nosso lado lésbico, fazendo tesoura com nossos falos, é o mesmo violão de que tiro músicas da Calcanhoto. Hoje tenho certeza: planar é aproveitar a luz do dia tocando violão e mandando beijos para ele, na paz dos sons da rua.

Não sei mais de quem estou falando, se é do homem que amo ou se é do violão que toco, mas isso deve ser por uma única característica em comum: ambos são rústicos.

Ausências

Maíra dos Santos Oliveira

"Há um olhar vazio, breve rotação para cima dos olhos, uma interrupção da atividade em curso. [...] não responde quando falado. De repente, acaba e [...] continua o que estava fazendo antes da ausência."

World Health Organization, 2002

Na bolsa de Preta: livros, fones, óculos, bloco de notas ... uma enormidade de recibos e papéis de bala. A bolsa de Preta era um universo. Um universo denso e pesado. Mas seu braço era treinado: carregou toneladas de criança nos últimos dez anos.

Descia sempre na Central e se surpreendia sempre com a esquizofrenia do relógio. De uns tempos para cá uma face era dia, outra face fazia seu estômago roncar.

O ônibus para a Ilha era disputado, mas Preta atraía os olhares dos motoristas-trocadores. Sentia raiva. Entrava primeiro. Uma multidão a seguia no Bananal sem ar, sem ar. No ônibus, Preta brincava de sentar ao lado dos pretos, mesmo no vazio do ônibus, e ver seus corpos, endurecidos pela vida, se encolherem desarmados.

Ela trabalhava na maior universidade do país: um ambiente asséptico e incômodo.

Um incômodo:

– Quantos pretos morriam com Alzheimer no Brasil?

Mas isso não era pior do que não se ver estudando ali. Mas servia. Preta era servidora, o que a distanciava enormemente da docência, discência e de quem mais quer que passasse por ali. Preta estava ilhada. No Fundão.

Aparentemente um homem havia sido morto na Central havia poucos minutos, uma colega lhe informava.

– Andava distraída, menina?

Como Preta distraída chegaria aos trinta anos?

Havia uns anos se afastara das cobaias. Sentia tremores quando se lembrava das tardes debruçadas sobre crânios de pequenos roedores retirados do ventre da mãe, cegos imersos no tampão: doadores compulsórios de neurônios. Sentia fome. Preta sempre sentia fome quando começava a dissecção. Hoje sua servidão sentava-se na frente de 19 polegadas em plataformas e sistemas que desafiavam os laureados. Fazia tempo que essa tela piscava insistente, sobrevivendo aos inúmeros apagões do último verão. 9:03

Pretx ouvia a reclamação de Regina de novo. Algo sobre o Sol secar as espadas de Iansã dela. Não se pode bulir com santo, muito menos com patroa. Era agora ou agora. Pretx acha a furadeira – meio velha; ferrugem comendo pelo lado.

– *A qualidade das coisas só piora e dinheiro não serve para mais nada.*

Procura os parafusos. Buchas: número dez deve dar.

– *Porra! Está uma lua nessa varanda.*

Pretx sente o peso da Furadeira em sua mão aliviar. O calor se concentrando em seu peito, escorrendo pela camisa, pingando no chão marrom. Vermelho, marrom, preto, vermelho. Regina chama:

– Hélio!

9:26

Preta está com febre. Já sentia desde cedo quando subia no 006 para deixar o filho na escola. Ficar doente requer tempo. Preta não tinha tempo. Preta corria atrás. Nunca do lado. Nunca na frente. Atrás. Não tinha tempo.

Se havia algo de bom em estar ao lado de quase doutores-doutores, era o arsenal que cada um carregava. Alguém haveria de ter uma droga qualquer para esses calores insistentes: Dipirona? Serve.

Preta sentava ao lado do mais proseador dos colegas. Sempre havia uma provocação política para iniciar, entremear e fechar o dia. Preta jogava, defendia, atacava. Ninguém sabia o que Preta queria, sempre do contra, numa eterna brincadeira de mostrar que o outro está errado. Pragmática, virginiana. Preta não entendia a cegueira do colega. Não entendia a cegueira do mundo. Ela via muito. Via além. Via luzes no fechar dos olhos que teimavam em persistir quando seus olhos se abriam.

12:05

Pretx hoje recebe seu primeiro salário.

– *Primeiro, está ligado?*

Salário. Não era tipo um sonho, nem nada:

– *Quem quer ser empacotador do Atacadão, tipo aquele maluco do Mama África, só que outra loja? Pretx tinha amigos. Carlos é ligado nessas paradas de petróleo e tal, mais cabeça.*

– *Pensa que ele zoa do meu trampo? Zoa nada. Está de bobeira.*

51

Os amigos de Pretx são assim: Dinheiro é dinheiro; honesto; importante é ser honesto. Pretx está no Lagartixa. Não tem nada para fazer.

Madureira:

– Aí sim!

Pretx é menor; jovem aprendiz. Mas tem amigo de carro, e tudo.
X-Tudo: Completo.

– Por minha conta! Neguin… tô ou não tô chique?!

Não tinha rádio. Fazia barulho. Muito barulho. Repetidos barulhos. A luz entrava pelos espaços que os barulhos abriam. 111 feixes de luz.

12:28

A bola da vez era o Universal Prefeitura do Reino do Rio de Deus. Mas todo mundo sabia que Preta era ateia, e professora de yoga. Não que essa última informação tenha importância, mas acontece que o assunto não rendia. Sua espiritualidade era a-institucional, mas questionada sempre que possível, quando os 'valha-me Deus' saíam pela boca de Preta ao reconhecer o número da escola de seu filho no visor do celular. A frequência dessas ligações diminuiu drasticamente desde que ele entrou para a rede pública esse ano. Não na mesma proporção que os ralados no joelho. Quem sabe a medida? Na medida dos salários das tias. Na medida do estresse das tias, na medida da ingerência, na medida do desmonte: ralados são pequenos. E o filho de Preta se adaptou bem. Continua querendo saber de onde vêm as estrelas e se sobreviveríamos tais quais as baratas a um ataque nuclear.

A ligação era para informar que o abaixo-assinado que Preta organizou havia surtido efeito: a CRE havia enviado um agente. Dos 33 responsáveis, 13 assinaram. Alguns desenharam seus nomes: entenderam o propósito. Muitos não entenderam: Preta não conversava com os prazeres; ali também estava ilhada.

A ligação chiava, num sibilo agudo. Mesmo espremida contra janela o sinal era fraco. O silvo forte causava dor por trás dos olhos de Preta, que se esforçava para ouvir a diretora, que por sua vez gritava para se fazer ouvir na algazarra do recreio.

14:12

A irmã de Pretx, Dani, mora em Japeri.

– Japeri! Não sei o que ela quer falar do Irajá!

Dani vive dizendo a Pretx para se cuidar. Repete o tempo todo.

– Umsaco. Todo mundo sabe que o confronto é do lado de lá. Bala não faz curva.

Mas a Dani não acha, diz que o Acari é perigoso. Os amigos de Pretx são daqui. Pretx é daqui:

– Vou pra Japeri nada.

Pretx deixa Dani falando sozinha e vai ensaiar em frente ao espelho uma entrevista para o Globo Esporte. Pretx tem que ir para a escola. Não gostava da escola. A professora na frente:

– Complete, responda... escreva uma redação contando suas férias...

Pretx achava que bom mesmo é viver as férias. Gostava nem um pouco da escola. Mas Pretx é boa de jogo: vôlei, basquete, futebol, queimada...

– Ficar jogando na lama é mó zuado.

Pretx está indo para a escola feliz, agora. As pessoas falam que um dia ela vai para as Olimpíadas, igual àquela da tevê, que estava rolando lá na cidade. Professor fala para Pretx que fica feio falar errado nas entrevistas. Todo mundo gosta de Pretx. Vai melhor nas aulas.

– Passa a bola, Duda!

As pernas ficam presas. Ficam soltas. Pretx não queria passar a bola.
A bola vai sozinha. O chão da quadra é azul-laranja.

– Não tinha reparado.

Pretx não era de cair. Caiu.

14:35

A diretora tinha desligado. Era tarde para almoçar no bandejão. Mais um almoço rápido: joelho e refresco. A china vendia cerveja havia uns anos. Agora está proibida. Aquele lugar recordava Preta das amizades e casos etílicos que fez tão rápido quanto desfez. Pensamentos entrecortados pelo diálogo elaborado em dialeto próprio dos nordestinos e chineses que dividiam balcão. Preta se questionava havia tempos sobre a efemeridade dessas relações. Uma destas, vindo pelo corredor principal, a fez fingir pressa. Fugia também. Namorar cansa, toma tempo. Já sabemos: para Preta tempo era caro. A pressa era real: já passava das 15 horas e o filho de Preta esperava sozinho em casa pelo seu regresso. Já havia avisado por mensagem que estava bem, havia alimentado o gato, e que seguia vendo algum desenho de nome indecifrável no Netflix. Ok. Ambiente minimamente controlado. Há quatro anos Preta não tinha tevê aberta ou a cabo em casa. Odiava propaganda. Odiava pagar para ter que pagar.

Salvou o projeto que estava submetendo a banca, sabendo que tinha mais uns dias de prazo. Poderia lidar com seus chefes, até mesmo porque, havia meses eles saíram em sabático e não pisavam no setor. Pegou sua bolsa universo e prometeu continuar a discussão sobre os impactos dos oligômeros de abeta na cognição do camundongo depois. Ah, a discussão sobre o Bispo Macedo também. Amanhã.

Castelo, sem ar. Pela Ponte do Saber já se sabe a dimensão do engarrafamento.

A Baía é espelho d'água. Refletindo os porcos embaixo do viaduto, o lixo que se acumula, a arquitetura carioquíssima da Maré... Refletindo o sol de brilho cegante e de calor que traz sulfídricos vapores manguezais. O cheiro perturba Preta. São dias sem dormir. Fitando o espelho, Preta vê a ausência chegar.

15:37

– *Dessa vez foi paraíba!*

Pretx se pergunta o que esses entojos fazem na maior universidade do país.

– *Belém! Do Pará!*

Pretx nunca foi à Paraíba, mas pensa na delícia que deve ser.

– *Foi do Pará que eu vim, graças a Deus!*

Pretx sabe o que dá discutir com fascista, acaba tendo que explicar geografia básica. Pretx acreditava que aqui, dentro desse espaço de conhecimento, teria acolhimento. Pretx sabe há muito que se enganou. Enganou-se de curso também.

– *Ninguém sabe o que é a universidade até entrar nela.*

Pretx não sai muito da Ilha: mora no alojamento, come no bandejão, vai às festas na Prefeitura...

– *Outro dia foi viado.*

Pretx riu alto. Era bicha mesmo. E sexualidade ampla, à flor da pele. Mas se perguntam o que vem primeiro, Pretx nem pensa muito.

– Preto!

Porque primeiro vem a cor.

– Esses fascistas brancos filhos de papai acham que esse espaço é deles de direito, e quando chega um preto, bicha, nortista… ah, meu amor. O ódio pulsa na carinha de bebê em que mamãe passou talquinho.

Pretx vê ali a face da verdade. Pretx não se cala. No diretório, no alojamento, na Letras e agora na Arquitetura: Pretx fala. Pretx acha que vão engolir seus quase 1.90m. Pretx segue ameaçada. A universidade protege os seus? Pretx sem calça, blusa levantada, sangra, jogada nas águas fétidas do Fundão.

16:10

Por quanto tempo ficara ausente? Vinte e três minutos, pelo celular. Preta não usa relógio. Epilepsia, há cinco anos. Preta seguia negando a doença. Não tinha tempo: criava sozinha seu filho, sustentava a casa… Preta queria namorar. Preta queria mudar o mundo. Preta queria tudo. Não havia tempo para a doença. E o que é o relógio se não o carcereiro do tempo?

Fenobarbital: sono.

– Como dormir nesse mundo?

Vigabatrina: irritação.

– Mais? Já basta!

Fenitoína, Valproato, Carbamazepina, Lamotrigina…

Preta sabia que tinha que tirar a fonte daquele mal.

Dissecar: doadora involuntária de neurônios. Preta era cobaia. E não queria mais ser.

Qual o tamanho do tempo de uma vida? Se a vida fosse coisa, uma casa, por exemplo, descrevê-la dependeria do seu tamanho, mobília, decoração... e nos deteríamos naquele canto onde nos sentiríamos mais em casa: na janela, vendo a vida passar, quem sabe?

Essa história é sobre essa vida que vemos passar da janela: janela no tempo. Em um tempo curto. Vinte e três minutos, para ser mais exata. Quanta vida cabe nessa janela? É um elefante em forma de pergunta. Nada pacífico, devo dizer. Esse elefante está louco para sair desse lugar que não é seu.

Não cabe nada. E o incômodo não cessará, pois ele é seu, dos seus filhos, dos filhos dos seus filhos, dos filhos deles, dos netos deles também. Um incômodo transcendental: a vida é perene; um cisco. E a nossa vida, incomoda, tal qual.

Os olhos coçam.

Em 23 minutos você nem nota minhas ausências, que dirá uma vida projetada. Esse tempo só tem um tamanho: da morte.

Em 23 minutos se morre. Não vemos. A cada 23 minutos, morremos. Mas só um pouco, pois no fim do dia morremos mais 62 vezes. Sobra mais para morrer, amanhã, depois de amanhã, depois, depois... Ausências epilépticas, em um tempo só cabe a morte.

A tanatopraxista

Maíra dos Santos Oliveira

*"Por que desceste ao meu porão sombrio
Com que direito me ensinaste a vida
Quando eu estava bem, morta de frio."*

Chico Buarque

Maria acorda cedo. Usa o vaso sanitário e o celular na mesma medida. O café se passa, e os comentários evacuados nas redes sociais cessam ao som da cafeteira. Descarga.

Banho quente enquanto o café esfria. Ela gostava de sentir sua pele queimando.

O delineador se rebela: contornos e humores distintos enfeitam seus olhos nesta manhã. Hoje ela sai obtusa.

Chorara na noite anterior e seus olhos inchados a agradavam no reflexo do espelho.

Ela havia sonhado que a Outra havia decorado sua antiga casa, de um jeito que ela sempre quis: cor! Sua casa anterior era cinza. Sua vida anterior também. Outra mulher dera cor a sua casa. Um alívio: de cor, ação; de coração.

Maria era frágil! A lembrança no pesar dos olhos tornava o dia mais leve. A fragilidade era um direito recém-conquistado.

Vestia calça preta, blusa branca. O jaleco na bolsa. Atrasada, descia a pé até a Rua dos Inválidos, Instituto Médico Legal. O cheiro putrefato se estendia pela Mem de Sá, e os boêmios pelo chão, embalados pelo cheiro, confundiam tais quais os corpos que dentro do prédio se empilhavam. Um homem defecava em pé atravessando a avenida – na mão uma Velho Barreiro já pelo fim. Ela que sempre fora insensível a isso, hoje enjoava: fragilidade.

Entrar no IML hoje era diferente.

Maria dava vida: fazia milagres àqueles que haviam interrompido seus batimentos horas antes. Os batimentos de Maria havia muito não eram ouvidos, mas seguia firme: *rigor mortis*.

O jovem de hoje havia sido atropelado enquanto passeava de bicicleta pela Glória. Um bêbado avançara o sinal. Calculava que demoraria quatro horas para lhe reconstruir a face. Ele era bonito. Ia voltar a sê-lo. Banho, desinfecção, seis litros de formol, aspirar as fezes, calar para sempre a boca, maquiar. Maria vê seu próprio rosto obtuso refletido no inox da bancada:

– Faremos melhor com você.

Hoje Maria percebera de uma vez por todas que ser abandonada a alforriara. Podia sofrer.

São quinze anos, trezentos corpos por mês, dez procedimentos por dia. Podia exercer a tanatopraxia sentindo, enfim.

O rosto que dava ao jovem ciclista era da vitalidade que queria dar aos seus iguais: jovens que entravam e saíam pelo pesado portão em sacos pretos, sem rostos. No princípio e no fim. A técnica de seus ancestrais a serviço de quem só fazia empilhar sacos pretos. Abandonados.

Maria sentenciada desde o batismo em ser fortaleza; hoje, 43 anos depois, sofria, enfim.

Lá fora os boêmios voltavam a se reunir nos depósitos. Guimbas atiradas riscavam o ar.

Mais um dia findara. Os abandonos, jamais. Algo mudara: Maria dava um passo ao sentir. A fragilidade era uma bênção, enfim.

Muxima

Marcella Gobatti

Muxima queria ser gente. Ele sabia que se fosse gente teria outra vida.

Pra Muxima, legal mesmo era ser gente. Gente pode falar, gente pode correr, gente pode dançar, gente pode andar, por onde quiser, gente pode tudo.

Muitos tentavam, mas ninguém conseguia convencê-lo do contrário. Amigos diziam: "Ser gente deve ser chato." "Ser gente? Você é louco?". Muxima seguia sem dar ouvidos.

Em uma das giras da semana, ele ouviu de um grande mestre: "Você sabia que tem gente que não pode sorrir, tem gente que sofre, tem gente que fica doente, tem gente que não pode cantar, como você." Aquelas palavras o fizeram refletir. Ser gente significava ter que escolher caminhos difíceis.

Muxima nasceu com o dom de sorrir, cantar e encantar com a alma. Com ele a vida era celebração, ora feliz, outrora triste, ora de vitória, ora de guerra, vida e também morte. Ele no decorrer de sua trajetória conhecia diferentes tipos de gente. Sempre se encantava com as gentes de mãos rígidas e de tez brilhante, como a noite. Gostava da sutileza, do carinho das mãos da gente aprendiz. Se encantava com as gentes de mãos suaves. Se entristecia com as gentes de mãos calejadas e ásperas de um dia debaixo do sol a pique.

Quando Muxima conheceu a firmeza das mãos do poder, ele definitivamente se encantou. De uma forma diferente aquelas mãos o deixaram consciente do que era ser gente. Pela primeira vez, "um gente" rei passará pelo seu caminho. Desejou como nunca antes; naquelas mãos fortes, firmes, ele realizaria seu maior sonho.

Na noite do dia 12 de julho de 1991, todos na tribo aguardavam a chegada da estrela-mestre, ela em suas raras aparições carregava consigo as transformações, podia realizar sonhos, trazer paz e também a guerra. Sempre havia muita expectativa com sua chegada. Muxima preparou-se, concentrou-se em seus desejos, e como o vento que sopra na colina, como tempestade que vai e vem, como fogo ligeiro que devasta com prontidão. Enfim, se transformou em um coração, vivo. Agora ele era parte de gente.

Muxima decidiu que precisava ser o que estava faltando em muita gente. Agora seria parte daquele rei, que com mãos fortes tocava-o.

Ontem Tambor, hoje coração.

Nara raiz

Rachel Marques Carvalho

Ela nunca entendera em realidade qual era o seu lugar. Diziam-lhe, às vezes, que havia pegadas suas em alguma cozinha, mas, desde muito moça, não encontrava clareza naqueles ditos. Havia, sim, o claro. Uma pele pálida marrom, um cabelo fino, longo, liso e um nariz. Porém desse não sabia muito bem falar. Cá para nós, acho que, lá dentrinho dela, era o que não queria. Falar dele. Nem sorrir com ele. Na época em que era muito moça.

Acho que era um belo nariz com duas fossas em perfeito estado (e que respiravam também com perfeição!), mas me arrisco em deixar brotar, nesta prosa muda nossa, uma opinião que por ela não fora plantada, contudo, se florescia, explica algumas coisas: a falta de clareza naquele nariz deveria incomodá-la. Talvez pensasse que aquela pequena parte de si não acompanhava a pele pálida marrom e que, ainda no talvez, melhor ficasse numa pele marrom mais escura.

Ele. Logo ele. O nariz. Lembrava-lhe o dele. De seu pai. De pele marrom brilhosa escura e com cabelo grosso curto encaracolado. Não pensava em clareza ao ver o dele, somente no seu. Mas disso não falava. Não sabia como falar. Nem que o quisesse.

Respiros cá e acolá, e o que se sabe é isto: não gostava do pobre do nariz. Sim, é preciso admitir que sou testemunha de algumas brigas que tiveram. Ele, que nunca foi lá muito amigo nos tempos frios, volta e meia cismava de não deixar passar nada: nem mal querer nem ar. A menina, que nunca fora difícil, mas que também tinha suas danadices, comprava briga e "toma-lhe soro!", litros e litros, "toma-lhe papel higiênico!", rolos e rolos. Admito que tinha razão, naquelas ocasiões, em tratá-lo daquela forma, mas, coitadinho, não acho que fosse merecedor de outros castigos.

Conto-lhe à boca miúda que, naquela época, quando ainda muito moça, já evitou sorrir em fotos por causa dele. Tem cabimento? Tirar o direito dos outros, dos lábios, de mostrar a felicidade do coração em dentes expostos?! Tudo por causa dele, do pobre que nada demais fazia, só respirava. Não gostava dele e por causa dele podava o próprio riso. Ou pior, escondia-o quando brotava.

Mas não a condeno. Nem você deveria fazê-lo. Ela achava que em tudo deveria ter clareza. Alguém deve ter-lhe dito isso, tenho certeza. Um cartaz, uma atriz, uma ausência. Tenho mais certeza da clareza das ausências. Pudera, quem saberá, ter sido diferente se seu amarronzado pálido ou se o amarronzado escuro não fossem ausências nas claras dúvidas. Pudera, assim, ter mais narizes livres e sorrisos grandes para acompanhar os seus. Para libertar os seus.

Era moça de classe média. Sem extravagâncias nem muitos luxos, mas de classe média. Estudara a vida inteira no particular, cercada por colegas de pele pálida não marrom. E com narizes com bastante clareza, sem dúvidas, tampouco sorrisos acuados.

Percebia que a volta às aulas a destacava deles de mais uma outra maneira: o abraço do sol de janeiro marcava sua pele de marrom escuro, já a de seus colegas, de vermelho. Sentia-se destoar como uma nota que rompe a constância de uma canção. Mas não sabia com clareza o porquê. Sentia. Incomodava-se. Com o quê, não sabia.

Um *flash*. Saudades. Sorria. Guarda o sorriso. "Deixa que eu tiro a foto", "gosto mais de fotografar".

Os espaços se multiplicavam, a necessidade de ter braços longos para aninhar seu próprio corpo também crescia. "Para que se descrever numa aula sobre o vocabulário do corpo humano e das cores?" Perguntava-se naqueles momentos. "My lips are red", descrevia-se a colega ao lado. "My lips are... Teacher, how do you say 'meus lábios são metade marrom claro, metade vermelho?'". Constrangia-se sem saber por quê.

Outro incômodo que também a assombrava eram os exercícios de descrever um colega de sala. Se diziam "elle est blanche, brune et mince" sobre a colega branca de cabelos castanhos, não entendia, então, por que era somente "brune et mince". "Mas o meu 'morena' é de cabelo ou de cor? Se for meu cabelo, qual é minha cor?". Perguntava-se porque também não sabia dizer. Dizer-se. Acho que temia. Dizer. "Será que vão acreditar?", pensava.

Disseram-lhe, certa vez, ao compará-la a uma amiga, que esta era morena puxada para brancos morenos, mas que ela, por outro lado, era "mistura de preto com branco". Lembro que naquela ocasião a menina se sentiu incomodada com o tom como foram proferidas as palavras "preto" e "mistura". Acho que deve ter se sentido como um cachorrinho que tem sua raça vira-lata identificada. Acho que também sentiu um nó nas artérias ao ser comparada. Pela forma como foi. Como se, entre dois pesos, o seu valesse menos. As artérias devem mesmo ter dado um nó. O coração deve ter fraquejado na hora de bombear, penso aqui.

Dos espaços em que procurava espaço, a casa era o único em que encontrava outros abraços além dos seus próprios. Sorria. Pelos abraços. Aquecia-se. Por entre os braços. "Oh, nêga preta do pai!", sorriam palavras do marrom brilhoso escuro. "Oh, neguinha abusada!", beijavam-na palavras da branca alva estrela. "Se assim me veem, assim eu sou", concluía. Mas não. Não era sempre assim. E o que não entendia estava fora, nas clarezas. Simplesmente não entendia por que nas clarezas dos cursinhos e da escola não notavam sua beleza. "Nem preta nem branca, Nara, você é sujinha." Mas suja de quê? Não entendia. Nem se encaixava. Era peça solta de um quebra-cabeça abstrato.

Mas se engana se pensa que a moça trancou sorriso e se escondeu de fotos para sempre. Com ela não, violão! Agora vem aquele pulo – que poderia ser do gato, mas ela prefere cachorro: certa vez, perdida em suas leituras, deparou-se com dois capítulos de um livro que a deixou frente a frente consigo mesma. "A mulher negra e o homem branco", era um. "O homem negro e a mulher branca", era o outro. Por sorte estava sentada quando os leu; do contrário, o tombo seria feio, entende?

Negra flor, parda cor; pelos entres e claros descobriu que das cadeiras das pagas salas de aula às cadeiras de um chique restaurante encontraria mais clarezas e mais ausências, e que a sobreposição de todas elas resultaria num marrom muito mais escuro do que o de sua pálida cor. Entendeu, então, que a busca pelas clarezas era luz direta em seus olhos. Cega ficava. Para ver as cores e formas. Suas cores e formas. Suas e de onde mais não houvesse clareza.

Passou, então, a não buscar mais clareza no que via. Acabou, p r a z e r o s a m e n t e, aprendendo a enxergar a beleza da luz-calor solar e dos um, dois tons que sua pele ganhava quando aqueles raios a beijavam. Aprendeu a fechar os olhos para abrir o sorriso; "quero nem ver o impacto que todos esses meus dentes vão causar ao refletirem a luz daqui de dentro!", ria-se. E respirava também! Largamente, junto ao sorriso. Para o registro. Da foto. Em foco e cor e luz. Luz sua e de seu sorriso. Era, finalmente, cor e riso.

Senti[n]do

Rachel Marques Carvalho

Eu existo?

O silêncio pode ser a ausência de som, mas o que significa ouvir? Meus pulmões expulsam preguiçosamente o ar que os preenche e não compreendo como tão pouco seja capaz de explodir por entre meus dentes e língua e boca e ganhar liberdade. O meu som é a urgência de explosão que há dentro de mim. Minhas palavras quebram o silêncio do que me é externo e deixam um abismo onde antes estiveram. Meu peito precisa ser preenchido para que minha voz seja expulsa e me faça existir novamente, mas não tenho controle algum de quando isso tornará a acontecer.

Abrir os olhos, ser invadida por cores e formas. Elas de fato existem? Dizem que todas as cores juntas formam o branco, mas, dessas, o dilaceramento de uma me cobre em cobre e me encobre de dúvidas; cobra que eu tenha certezas?

Sinto-me anestesiada, e o que me cerca não parece fazer parte do real. Na verdade, se é que isso existe, duvido até mesmo do que seja real – ou é possível cores serem vozes? A luz que me invade é a mesma que me cega, e agradeço. Agradeço. Pois o repouso de minhas pálpebras responde ao meu pedido íntimo de olhar a mim mesma. Sem as cores que a luz me traz, o escuro que me preenche converte-se em coragem, arrisca-se num contato com minhas ideias e, em uma união indissolúvel, cria um mundo composto por interrogações. Elas não buscam um ponto final, mas exclamações na primária negra cor que ecoa à superfície da parda tez. Creio que dúvidas sejam o meu sul e a inconstância, meu impulso. Não quero responder-me o tempo inteiro, quero ser o vazio, quero quebrar silêncios e povoar mundos alheios. Mas me paro. Obedeço ao risco do que sou ser nocivo ao que são. Calo-me. Engulo meu ar. Preencho-me de escuro. Negrume. Entrego-me às reticentes interrogações. E apardo-me. Pardo em mim. Pardo em... Tum...

Sonoro.

Tum...

Surdo.

Tum...

Bumbo.

Penso que meus movimentos sejam espasmos de ordens dadas por mim. Talvez meu corpo não seja sempre capaz de fundir-se a minha mente e, sem nenhum aviso prévio, às vezes expulse pequenas doses do que me faz ser e ocupe lacunas estrangeiras. Seria eu em outro? Seríamos nós voz? Nós e laços. Nós sem laços. Nós sem espaços.

Se posso me ser em outros, outros podem se ser em mim? Seria o escuro que me abraça alimentado por interrogações estrangeiras? Mas, se a mim se somam, são mesmo estrangeiras? Ou somos interrogações mesmas? Nós. Se me é estranho, deveria ser enfrentado de olhos abertos! Meu escuro pertence a mim, busca a mim e finda em mim. Ou seriam aqui os nós que nos prendem e nos conjugam em Nós? Vejo-me no direito de expulsar outros mundos do meu. Não quero fronteiras, quero invadi-las quando munida de impulso. Nó. Nós. Eu. Amarrados pelo desatar de fronteiras. Das invasões. Expulsos. Sem pulso. Quase. Eu, sem impulso. Nó sem ponto.

Não me julgue. Não se julgue, eu me diria. Não é autoritarismo, é resistência! Se sempre me paro, deveria ao menos me ater à lealdade de me manter segura em mim. Mas há reticentes interrogações. Sobre as ações e lesões que em cores feriram e ferem tez e nós. Quando os olhos se fecham e os lábios se cerram, não há eu que se lance ao mundo. Há uma overdose de mim mesma dentro de mim – uma redundância que não pede licença e não se atribui o peso das explicações – há a criação de uma falsa fortaleza.

Meus ouvidos não me são leais, tampouco piedosos. Posso me recusar a ver o mundo, posso pontuá-lo com o meu silêncio, mas não posso ser sempre o silêncio. Olhos e boca são persuasíveis; ouvidos, não. Duas portas sem chaves nem zeladores, talvez sejam o que de mais revolucionário possuo. Não me obedecem. "Se existe silêncio, vamos subvertê-lo!", eles bradam. "Eu, como um cara filho de preto e branco, eu já me vi dos dois lados", eles ouvem reclamar um Nós. "Não é possível, cara, olha pra mim!", o Nós se desata. "Ou você não quer ver, quer me diminuir, me desempoderar?!", o Nós se ata. Nos ata em Nós. Escapa-me o ar que me era cativo, o coração, antes cheio de sangue, agiganta-se no peito e lembra minhas artérias de sua obrigação de levar vida a cada extremo que me compõe. Mais uma lição aprendida, mais uma vitória do audível sobre o inaudível. Palavras gritadas como mão que pesa sobre meu rosto, braços fortes que me empurram brutalmente contra o mundo. Sons que tomam forma e caricaturam-se em um gigante com sangue nos olhos e pescoço cortado por veias, cuspindo furiosamente o inevitável: a realidade está aqui e também é tua!

O esporro me invadiu, gritou em mim e deixou rastros. Gatilho apertado, silêncio quebrado, mente alvejada. A sutileza dos sons se infiltra num abismo sem notas, desenrola-se em infinitas sílabas guiadas pelo desejo de se fundirem às significações. Nós sem interrogações. Minhas significações. Nós, nossas significações. Elas não param, caminham eternamente por onde puderem fincar latitude e longitude. Se dois corpos não podem ocupar o mesmo lugar no espaço? Não há lei que o comprove. Cores e nos ocupam um único Nós.

Com as mesmas mãos com que me defendo, transformo minha identidade de singular- plural. Crio travas nas pontas dos dedos, cravo-as no riscador-de-papel e desafio a autoridade do livro de definições. Pardonegrecer. Viro palavras ao avesso, substituo meu reflexo por um sinal gráfico tão incerto quanto a significação do eu.

Linhas do passado que se encontram no presente

Thaís Nascimento

Fazia tempo que Kinah não via a avó e as tias. Fazia muito tempo. Na quarta-feira acordou até cedo, tamanha era a ansiedade que a consumia. "Depois de tantos anos... será que vão gostar de mim? Será? E se..." As palavras iam se juntando e formando perguntas e mais perguntas contra a vontade de Kinah. Decidiu então se distrair para se acalmar. Foi lavar e cuidar dos cabelos. Após o uso do *shampoo*, preparou uma misturinha com chocolate em pó, azeite e creme, que uma amiga tinha recomendado. Massageou cada mecha delicadamente. De baixo para cima.

De baixo para cima era a visão que tinha de sua vó na última vez que se viram. Os olhos castanhos já grandes, como sempre foram enfeitando aquele rostinho de bebê. Ela sentada no chão da sala ao lado dos brinquedos e observando a avó que vinha caminhando do quarto com um de seus bordados.

Já era tempo de tirar a hidratação dos cabelos. Quando secaram naturalmente, Kinah arrumava orgulhosamente o *black* para o alto, em frente ao espelho. "Será que avó vai gostar também?". Ao perceber a hora, guardou na mochila um embrulho e seguiu viagem. Bateu algumas vezes na porta branca de madeira. Ao se abrir, lá estava a avó. Linda, sorridente e um pouco mais engelhada do que Kinah lembrava. Engelhada como se a pele quisesse abraçar ela própria. O corpo agradecendo à mulher forte e corajosa que Dona Hilda é. Abraçaram-se forte, demorado, e foram conversar na sala. Kinah se lembrou do embrulho e foi correndo buscar na mochila para entregar à avó. Dona Hilda, tímida, desfez o embrulho e olhou encantada para as cores do tecido. Vivas e alegres, as cores brincavam umas com as outras na estampa do tecido. A neta amarrou o tecido na cabeça da avó e sentou-se aos seus pés para admirá-la como em muitos anos antes. A avó sorria e ria ao contemplar sua imagem no espelho com aquele turbante tão alto e bonito. Parecia uma rainha africana. As águas de saudade dos anos distantes enfim se soltaram dos olhos ainda grandes de Kinah.

Contos Colaborativos

Estes contos foram produzidos colaborativamente entre os escritores selecionados na Oficina de Literatura Negra e Criação Literária coordenada pela Profª Simone Ricco.

A tal Igualdade

Gabriela Tavares Sousa e Simone Ricco

Era mais uma segunda-feira. Aparecida olhava seus alunos em fila, já havia ordem, quando a diretora chega esperando ver nos pequenos o progresso de cantar o Hino Nacional Brasileiro. Eles mal sabiam onde moravam e já teriam que aprender o hino? Isso não soava bem ...

Aquele momento tão natural na rotina escolar agora estava diferente. Ou seria seu olhar que agora via a diferença? Vários questionamentos transitavam em sua mente quando o verso: "Se o penhor dessa igualdade" soou dissonante. Ela duvidou da igualdade e concordou com os braços fortes necessários para seguir remando contra esta fantasia que nega a diferença.

Que igualdade é essa que há anos cantamos, mas não conquistamos? E voltando o olhar para seus pequenos, reparando seus traços, suas feições tão inocentes, ela se entristeceu. Pensou que eles já teriam que lidar com uma igualdade ilusória. Uma igualdade que embranquece, apaga as raízes. Suas meninas despertaram-lhe a atenção. Ali havia cabeças coradas por diferentes texturas, lisuras e ondulações. Será que teriam que entrar num padrão e em breve ficar uniformemente lisas como as mulheres que lotavam os salões?

O breve espaço de tempo pareceu se tornar eterno. Lembrou-se dos livros que encontrava. As famosas historinhas, que de contos de fada não tinham nada. Tinham sim, do início ao fim, aquele elogio a uma beleza diferente da maioria de nós ... "Pele branca como a neve", "Olhos azuis como as águas do mar", "Cabelos lisos que voam ao vento". E ser igual a estas princesas era algo buscado fora dos livros.

Igualdade é somente no discurso ou é um toque da fada da indústria de cosméticos. E com o olhar focado em seus pequenos ela não consegue responder a suas próprias questões. Seu interior só quer dar voz a eles. Uma voz que lhes possibilite reconhecer-se nos espaços em que atuam, nas histórias que lhe contam, em seus traços ancestrais. E pensa: onde estão: a pele negra tão linda como a noite? Os olhos pretos brilhantes como uma jabuticaba? Os cabelos com ondinha do mar?

Subvertendo a ordem, Aparecida segue a marcha até a sala de leituras e convida seus meninos a buscar as princesas e heróis que pareçam com eles. A diversidade toma conta do lugar. O barulho da turma é um hino à diversidade!

O sinal tocou. Hora de interromper a farra e encarar com a tristeza a realidade: a crítica de colegas de trabalho. Como eles podiam não entender? Pior, como eles não percebiam a própria opção por deixar de lado a representatividade e seguir reproduzindo imagens distantes dos pequenos homens e mulheres em formação... Quantas vezes chegaram aos seus ouvidos comentários voltados para sua desqualificação: "Professorinha preta que só sabe falar de preto. Aquela que coloca ponto de macumba para as crianças!"

Aparecida fez reaparecer na escola o som dos tantãs e viu como é difícil compreenderem nossas raízes africanas, nossa tão linda cultura, nosso ritmo envolvente que fascina os pequenos. Os grandes, tão cheios de preconceito e tementes ao "inimigo" não conseguem reconhecer sua própria história, respeitar o que remete à religiosidade alheia, tolerar a matriz africana.

E ainda perguntam, "Por que tem que ser literatura preta?" Por que é tão difícil perceber que nossas meninas negras não têm chance de serem princesas, que nossos meninos pretos não têm chance de serem heróis.

Temos heróis até verdes, mas onde está o preto? Onde está a sensibilidade? Onde está a tal igualdade?

Já existe!!

Século XXI, tem que ser diferente! É um desejo dela que um dia também foi uma menina com muitos sonhos e muitos encantos, mas não havia uma boneca preta e muito menos uma princesa preta. Cresceu querendo se ver em uma princesa negra; ainda hoje vive isso com suas pequenas. Mas apareceu a história nada encantada de ser Professora. Ela topou o desafio e de uns tempos para cá decidiu que não será só mais uma professorinha de Educação Infantil! Ela sonha e também faz o sonho acontecer! Seus pequenos serão grandes, reconhecendo sua autoimagem e possuindo autoestima.

Na vida real, outras histórias serão vividas e escritas por princesas e heróis diferentes.

Anjo precioso

Ana Carolina Lacorte e Simone Ricco

Dezesseis horas em ponto. O sinal bate. Desço as escadas correndo. Chegou o momento que eu mais adoro: o ensaio pra festa. Ah... se soubessem como eu adoro dançar. Eu nunca entendi uma coisa: minha mãe sempre dizia que dançava muito bem. Eu sei que mãe "não vale"! Elas sempre tentam nos agradar. Acho que se eu tiver filho um dia, farei a mesma coisa. É coisa de mãe isso... Masna escola eu nunca consigo participar da dança. Nem da dança, nem do teatro e nem da encenação do Anjo. Sei lá, acho que preciso me esforçar mais.

No ensaio, havia dez meninas. Íamos dançar uma música do Milton Nascimento: *Maria, Maria*. Eu sempre achei essa música mil vezes mais bonita que as da missa. Mas eu não podia falar nada, senão poderia ficar de castigo. Mas dizem que Deus vê tudo, e ele já me viu falando isso mil vezes também.

No ensaio, só havia meninas da minha turma. Iam escolher somente nove meninas, porque a coreografia era diferente. Assim disse a 'Tia Cristina'. Assim eu entendi, ou tentei...

– Meninas, como uma de vocês terá que sair do ensaio, eu vou fazer assim: vamos experimentar as roupas de anjo. A menina em que não couber, volta pra sala.

Eu já senti que mais uma vez eu não dançaria. Imagens, sons e palavras bailaram na minha frente: a tal pediatra que todo mês fala pra minha mãe que eu preciso perder peso. Meu pai dizendo que eu tenho que fazer um esporte e parar de comer doce. Os meninos da turma me chamando de baleia assassina. Ouvi os risos deles depois de concluírem que ela é preta e gorda igual a mim. Enfim...

Voltei para a sala. Apertei o passo. Perdi o ritmo. Inesquecível a coreografia da negação.

Ao longe há luar

Marcella Gobatti e Simone Ricco

Lua-ra

Filha amada, filha desejada, filha encantada.

De onde ela vem?

Menina nascida no frio, vazio e sombrio. Ela é forte, intensifica a grandeza de seu pequeno corpo. Sábia, sabe se proteger e o momento exato de se descortinar.

Lá no alojamento, é olhada como violenta. Cresceu a voz para que a ouvissem falar. Muitas são suas origens, seus anseios, inquietações, angústias, gana, sede, sofreguidão...

Aberta à vida, fechada com a luta, vive na quebrada sem se quebrar além da conta. Rá! Ela não tá nem aí para quem aponta o seu lugar, vai para onde sente ser caminho para chegar lá, num lugar que nem ela sabe qual é.

Filha amada, mas dia desses soube que não foi filha desejada. Um encantado acidente, muito comum lá na comunidade de onde ela vem. Agora, quando chega por lá revisita reenergiza com tanta agitação de gente empreendendo e sobrevivendo entre risos inexplicáveis, traduzidos na letra do proibidão e decodificados naquele texto do Fanon que rolou pela ocupação.

Na luta de ocupar um lugar, a cabeça foi ocupada, o corpo entrou nas lutas, capoeirou, a gira girou e o tempo voou. Ontem caloura, amanhã vai se titular. Antes disso, desocupa o alojamento, procura seu canto, que não seja muito na beirada. Da comunidade onde nasceu até a comunidade de desempregados bem qualificados onde está prestes a entrar é uma longa caminhada. Uma história bonita, sem final feliz, com felicidades experimentadas nesses deslocamentos que acontecem há muito tempo.

Chegou ao cafofo. Arrumar as coisas, desalojar aperto no coração. Abolir a condição de estudante e pensar a vida fora dali. Formar o olhar complica, aumenta as chances de ver as pessoas, o mercado-mundo e a primavera hostil instalada no país.

Mulher formada, profissional nem sempre desejada, preta engajada.

Para onde ela vai?

Insalubridade dentro e fora. A rinite ataca, a vista arde, abafa! Precisa respirar, se inspirar, sentir o perfume da vida. Sair, sem congelar ao sentir no ar o perfume barato do medo, que tá nas pistas, tá nas ruas, vai à escola e empurra gentes pros templos que nem sempre deixam entrar o luar com sua luz. Contradições que fazem barulho tão alto quanto a música que toca para alienar ou para agudizar o clima de 1968 espalhado no ar.

Num rompante, Luara abre a janela. O ar entra e a noite escurece sua visão. É preciso ver no escuro. A brisa assobia que é a hora de (re)formar o mundo. E foi um sopro como aquele que animou o barro. Ela voou para o banho sob efeito daquela vertigem que sentia quando se percebia entre existir e resistir.

Negra Fortaleza - Batekoo

Thaís Nascimento e Simone Ricco

Jamilla não gostava das escolas por onde passou; sempre aprendeu mais e melhor conversando ou lendo. Vivendo e aprendendo, seguiu.

A pele com poucas rugas negava a idade daquela mulher vivida. Crespos brancos não havia, eram ainda castanhos vibrantes. Porém davam a entender que queriam um descanso, mesmo que rápido, da fortaleza que precisavam erguer para continuarem acentuados e intensos. Era baixinha a Jamilla. Seu corpo magro e forte. Mas não era uma força qualquer, ela não tinha músculos rígidos visíveis.

O trabalho pesado da faxina tonificou músculos, também usados para impedir as recorrentes cenas de violência doméstica. Um bate-corpos constante. Pesadelo que se arrastou enquanto ela construía sua estratégia de independência financeira e criava a filha ao lado do pai.

A barraca na feira surgiu para ajudar no aperto financeiro. Começou comprando pouquinho jiló e preparando do seu jeitinho especial. A receita fez sucesso. Bate o jiló na farinha, frita bem sequinho. Estava ali a poção mágica para combater a vida amarga.

Bate papo com as tias mais antigas era algo que deliciava Jamilla. Receitas de sucesso na sustentabilidade dos corpos, na longevidade dos sonhos. Filhos crescendo, casas mantidas. No fim da feira, no lugar da xepa: o brinde, a brincadeira, a rima das tias partideiras. Como Jamilla curtia estar ali e ir aos poucos conquistando coisas que para muitos pareciam pouco.

A conquista mais recente era a liberdade. Uma década depois da barraca armada, tirou da vida o jiló ruim, bateu pés e finalizou a história escrita com mais dor que amor. Jamilla sentia que não tinha mais tempo a perder. Queria viver já!

Viu grandeza na casa de três cômodos, alugada para ela e a filha, sua companheira e herdeira na coisa de gostar de aprender. A filha, que teve menina, se tornou mulher sabida, cercada de livros, cabeça cheia de leituras.

Jamilla admirava sua cria e batia com a língua nos dentes sobre o trabalho da filha nas redes sociais. Nos dias menos corridos, via o canal da filha: uma escola atual. Pessoas, roupas, ideias, Afrofuturismo, Identidades, Batekoo e outras novidades que renovavam sua maturidade.

A voz da sua filha bate como o vento, "recolhe a fala e o ato", ecoa histórias no seu ouvido de mulher refazendo a vida.

Dó de Joana

Lu de Oliveria e Marcella Gobati

Ela sentiu dó quando viu mais uma de suas crias sendo entregue à rispidez do mundo. Sabia exatamente qual seria a trajetória de mais um de sua prole. Chorava um canto de dó, um canto de suor, um canto de quem apanha para manter vivo o que sai de suas entranhas.

Subia e descia a ladeira. Cantava Joana pelas vielas, becos e esquinas.

Lá se vai Joana. Com fome ela dança, ela canta, ela corre, ela grita, ela chama, ela aprende, ela ensina, ela ama.

Ela sobrevive.

Joana vive.

No caminhar sorrateiro da noite, ela com dor dobra e com doçura se desdobra,

Doideira, não domável.

Doméstica, dona do lar.

Não vem domar Joana.

Ela domina, donzela dourada.

Amanhã é outro dia.

Duas negruras.
Um encontro!

Sheila Martins e Jacqueline Òbá

"Aquele que não ama ainda está morto."

Evangelho Segundo São João

Ancestralidade! Assim a conheciam, assim era chamada por todos os habitantes do bairro de Santa Cruz. Na verdade aquela menina pequena, de baixa estatura, morava em Bangu, mas em seus sonhos romanescos revivia a trajetória de atravessar os trilhos da Supervia. Sim. Ancestralidade começava a perceber que as mãos que tocavam seu corpo eram bem diferentes das que queria que a tocassem. Eram mãos frias, gélidas e que não compreendiam as dobras que davam contorno ao desenho volumoso de sua corpulência.

As nove estações que separavam Ancestralidade de sua ancestralidade representavam a saída do exílio interior no coração de mulher. O som ambiente no vagão heteronormativamente rosa expremiam os batuques passageiros de menina-criança anunciando um antes-passado de alegrias e mistérios futuros.

Ancestralidade deixava que a canção a embalasse percorrendo o mais súbito de suas memórias. O trem de repente dá uma freada. No alto-falante, o maquinista avisa sobre falha no semáforo férreo. Putz! Ancestralidade é arremessada para o assento da frente e cai em um profundo desespero e choro-susto seus olhos cruzam com outros olhos tão chorosos e tão negros quanto os seus. Abaixo deles, mãos com linhas de vida longa asseguram e seguram as suas convidando-as para levantarem.

Um silêncio petrifica aquele encontro. O piscar dura mais tempo que o normal para um corpo humano. Efêmero! No apregoamento do dia, o maquinista retoma sua jornada conduzindo a parada inesperada na estação de Benjamin do Monte. Era o encontro de duas negruras, de uma ancestralidade em comum.

No retorno para casa, após um dia cansativo na escola em que dava aulas de Literatura Brasileira, Ancestralidade pensou, pensou e tornou a pensar naquela colisão. Resolveu ir atrás da sua metade da laranja. Ou, melhor, da nota mais perfeita que embalou o seu batuque na quimera cotidiana. Os dias foram se passando e nada de aquele homem negro igual a ela aparecer. A ancestralidade a perturbava tanto, que até o conteúdo de suas aulas passou a ser "Literatura Brasileira de autoria negra". Ela mergulhou fundo na nervura da palavra negro. Até que um dia, quando estava quase para descer em Santa Cruz, ele apareceu! Com aquele sorriso largo e uma comoção extasiante pelo reencontro com aquela ancestralidade.

Seu nome? Ancestralidade também. Quase um comum-de-dois. Na verdade o uno-duplo de dois corações encantados pelos descobrimentos com a vida. Seus corpos pulsaram suor e amor. Arrepiaram. Estremeceram. Choraram unidos. Os dois percebem que já não estão mais sozinhos. Entregam-se adormecendo em instantes momentos de gozo.

Aquele vagão nunca mais fora o mesmo. O caminho nunca mais foi o mesmo. Mas eles foram Ancestralidades com letra maiúscula e uma vida de verbo amar.

Elos e ela

Debora Nascimento e Simone Ricco

Avenida Brasil, pista de subida. Havia anos não fazia esse percurso, havia anos não visitava o lugar onde cresceu. Mil pensamentos no caminho, memórias, saudades, curiosidade.

Chegar ali dirigindo era um risco. Andar nessa cidade é um risco. Arisca, Helô arriscou. Seria um dia feliz, reencontro com amigos. Reativar elos, além do contato virtual.

Parou o carro na entrada. Desceu atenta e foi abraçada por lembranças da antiga imagem daquele caminho que levava para longe da pista e da cidade, agora estava tudo (mal) urbanizado. O asfalto demarcava a "faixa de gaza" instituída no território.

Deixou o medo de lado, queria estar lado a lado com rostos conhecidos, molhar a garganta com uma cerveja tão geladinha quanto aquela que experimentou pela primeira vez, num daqueles becos vivos na memória.

O comércio tomou conta dos becos, até mesmo das vielas. Produtos, pessoas, histórias escritas no pó das ruas onde resistiram os meninos correndo atrás da bola. Os sonhos não ficaram na poeira. Lá estavam os meninos realizando o sonho de capitalizar, de pilotar; alguns circulavam na velocidade de aviões, outros vinham sem pressa curtindo a zoeira do lugar. Em lugares estratégicos, viu meninos, fardados ou não, armados pela força de suas tarefas na segurança. As armas da insegurança estavam expostas.

Helô sentiu medo. Um barulho chamou sua atenção para a esquina. Na sua frente apontou o bonde pesadão. A adrenalina disparou, o coração também. Mil pensamentos. Congelou, mas logo se derreteu diante daquelas meninas munidas de ideias e equipamentos para a gambiarra digital.

Seguiu até o carro, assumiu o volante e deixou que terminasse de tocar a música que ouvia ao chegar. Memórias, saudades. A pérola negra convocando para formar uma corrente com elos muito resistentes, daqueles que levam bom tempo para arrebentar.

Espelhos d´alma de Kianga

Sheila Martins e Simone Ricco

Há um tempo numa cidade grande, conheci uma mulher preta chamada Kianga. Levava uma vida corrida como eu. Nossas pressas se igualavam, nossos horários coincidiam, por isso nos esbarramos. Não uma, mas muitas vezes. Ela sempre procurando um cantinho para sacar da bolsa algum livro que trazia. Em meio ao confuso trajeto da periferia ao centro da cidade, conversávamos um pouco, sempre que possível. Quando surgiu a oportunidade de estar perto de sua casa em dia de folga, marcamos e fui visitá-la.

Sentia vontade de conversar com aquela mulher. Seu nome, seu jeito indicavam que teria coisas interessantes a me dizer. O pouco que falamos foi agradável. Ela se distinguia na muvuca socada no transporte urbano. Falava pouco, escolhendo bem as palavras.

Pequenos detalhes em seu modo de falar e agir mostravam que Kianga era uma mulher forte, independente, certa do que queria para sua vida. Possuía olhos que falavam, gritavam por contar uma história que a boca não tinha forças para expressar. Isso me intrigou. Um desafio que ficava no ar em cada conversa: ela tinha algo para dizer. Naquela ida até sua casa, sem o estresse que o transporte cria, eu estava decidida a usar meu talento de instigar um bom desabafo. Querer prosear com os olhos dela, disposta a permitir um desabafo. Quem sabe alguma violência ocultada?

Era uma tarde fresquinha, um belo dia de feriado. Sentamos no quintal da casa dela. Eu sentia o vento bater no meu rosto, isso trazia uma paz e algumas lembranças, mas não deixei que ficassem pairando em minha mente, pois queria saber mais sobre Kianga da mesma maneira estaria enxergando mais sobre mim mesma também. Então ela contou-me um pouco sobre sua rotina. Coisas tais como seu trabalho, seus estudos, seus filhos e seu marido Akil – um preto baixinho, forte como um touro, com um sorriso largo e brilhante como a lua cheia.

Quando ela falou a respeito do seu marido, senti que aquele era o ponto. Os olhos denunciavam algo por dizer. Aproveitei a deixa e perguntei como era seu casamento. Kianga foi, aos poucos, entrando em sua intimidade para falar sobre seu marido e sua outra esposa. Eita! Pera lá. Outra esposa? Questionei-me silenciosamente. Então, rapidamente concluí, sem falar nada a Kianga, ela era amante de Akil. Por isso havia percebido tanto segredo em seu olhar.

Pronto! Compreendi tudo. Sórdida essa Kianga. Amante. Amante? Amante! E como será a "verdadeira" esposa? Tadinha? Sendo traída sem saber. Será que ela sabe? Comecei a me fazer milhares de indagações. Mesmo depois desse papo comigo mesma, continuei a prosear com Kianga. Porém, só conseguia pensar no que os olhos dela teriam para me contar. Afinal, uma amante tem vários segredos para dividir.

Ela baixa a cabeça e olha o livro em seu colo, aberto numa página que parece reler. Elaboro um interrogatório a partir de minhas indagações, agora com um foco. Num movimento leve, levanta a cabeça e deparo com os seus, que parecem vibrar. Acredito estar perto de descobrir o que eles querem tanto me contar. Retomo nosso diálogo. Reformulo a pergunta, querendo saber como é seu relacionamento.

A mulher me encara, com ar feliz. Inicia a fala meio tímida, mas os olhos reluzem, ansiosos, falantes. O traço de timidez se perde no primeiro pestanejar. Ela diz: "Temos uma relação ótima. Um casamento, como qualquer outro. Temos nossos conflitos, mas vivemos bem. Em meus dias Akil está comigo e em outros ele está com a Ayomide, que por acaso é nossa vizinha." Ao ouvir isso, não consegui me segurar e perguntei: "Deve ser difícil dar conta de ser uma amante e morar tão perto da esposa dele? Doloroso talvez?."

Os olhos de Kianga exprimiram o susto diante das minhas deduções. Estavam esbugalhados e espantados a ponto de levar até a boca as narrativas que transbordavam deles. Prontamente, Kianga dá um sorriso tímido e diz veementemente: "Não sou amante dele! Ayomide também não é. Somos casadas com Akil."

Pronto! Agora são os meus olhos que não sabem o que expressar. Um silêncio toma conta do ar. Uma pausa que parecia uma eternidade. Ela pende a cabeça, seus dedos percorrem a página e ela recita um trecho: *Uma segunda esposa entra na família como em qualquer outro casamento. Muitas mulheres escolhem isso para trazer mais energia feminina para a casa e torná-la mais alegre.*

Penso: como seria isso? Poligamia? Tomo coragem e pergunto um pouco mais. E ela nesse instante permite que os olhos jorrem palavras como uma chuva torrencial e sem nenhum embaraço. Descreveu como foi difícil para ela viver esse tipo de relacionamento numa sociedade a qual não compreendia tal modelo familiar, como foi intenso e conflitante internamente compreender que Akil não era propriedade exclusivamente dela, como um loteamento que se compra.

Penso. Ouço mais, julgo menos. Kianga menciona a exclusão. Outras mulheres acreditam que Kianga pode gatunar seus maridos. Ela ri do desconhecimento e ressalta: "Tolas mulheres achando que eu roubarei algo que não é delas!" Mas admite compreender, afinal também sente ciúme e vai repensando sobre isso todas as vezes que Akil está com a preta Ayomide. Amar e respeitar não se garante com papéis. A palavra é a garantia; conjugando silêncios e palavras, é que se ama respeitosamente. Sua boca fala, seus olhos iluminam a sinceridade do que foi dito. E graças a esta sinceridade existente entre eles, tornaram-se amigas; com o passar do tempo, cúmplices.

Falou de forma tranquila e segura de um modelo deste relacionamento plural adotado por nossos ancestrais em África. Kianga disse mais a respeito de sua "coirmã": são companheiras, decidiram caminhar juntas na construção de uma família compartilhando a vida com o mesmo marido. Não são vítimas do julgo do homem, exploradas pelo patriarcado, coitadas sem escolhas ou desesperadas pela falta de homem, como costumam ouvir rotineiramente. Convicta, negou que houvesse desrespeito naquela escolha de mulheres que adotaram um modelo de união que foi abolido oficialmente, dando lugar a uma poligamia velada, responsável por mágoas de muitas mulheres.

Havia tranquilidade nos olhos de Kianga. Eles, os olhos, só queriam contar o que viram, sofreram e sentiam, mas com medo não sabiam como extravasar isso tudo para os lábios. A sinceridade não era ouvida com serenidade por qualquer pessoa. Fomos encerrando aos poucos a conversa. Eu querendo saber mais sobre o que tinha escutado nesse finalzinho de tarde com cheiro de bolo de milho e café fresco. Porém, deixamos para outro dia. Por hoje os olhos de Kianga já falaram por demais. O entardecer trouxe-lhe pressa. Talvez por ser dia do seu esposo ou por querer avançar na leitura do livro, agora fechado, permitindo que meus olhos vejam o título: *O espírito da intimidade.*

Despeço-me íntima e intrigada com o que vi naqueles espelhos d´alma de Kianga.

Fechou

Elis Pinto e Maíra dos Santos Oliveira

Mario saía do trabalho atrasado todos os dias. Sempre arrumavam algo a mais para ele fazer. Mario era um desculpante: "Sim, senhor!", "mas agora tenho mesmo que ir", "é hora do *rush*", "desculpe, senhor", "amanhã resolvo tudo, sem falta"... e por aí ia sobrevivendo, refém de seu regime trabalhista.

Era um prédio na Zona Sul do Rio de Janeiro. Coisa de bacana, mesmo.

A mala de ferramentas – herdada do pai – era de ferro. O homem alto, negro esbelto, aos 45 anos já se via curvado. A cada passo dado, maior era o peso da mala, e seguia seu rumo pendendo para o lado, nessa assimetria laboral.

Estava mesmo tão atrasado, naquele dia, que desceu correndo as escadarias da estação de metrô, dispensando as rolantes. Em um pulo, entrou no vagão pela porta já apitando. "Portas se fechando" a voz mecânica anunciou e o trem partiu. Era o último vagão.

O último vagão de um silêncio sepulcral. Mario havia mesmo percebido o silêncio, raro pro horário, assim que entrou. Foi quando uma moça alta, branca de óculos e cabelos longos falou bem alto, dando cabo daquele mistério:

– Qual é? Aqui é só pras mina, cara! Tá cego ou aboiolou?

Espantado Mario despertou do automatismo operário, levantou a cabeça e viu: era o vagão exclusivo pra mulheres. Despertou do transe, endireitando seu corpo pêndulo, e pigarreou assim:

— Desculpem-me, senhoras. Eu ... eu não vi ...

— Ah tá, mas vai vazando, vai, coroa! — Retrucou logo uma outra moça.

Mas esse era o último vagão. Mario desperto, envergonhado pela distração cotidiana, teria que esperar a próxima estação para descer.

E foi ficando pequeno, ali no cantinho, sem olhar diretamente nos olhos de nenhuma daquelas mulheres.

Sentia o cheiro bom de tantas mulheres diferentes e entristeceu. Teria mesmo que sair na próxima estação e, como sempre, ter como companhia do retorno à casa o odor fétido dos vagões mistos. Ele realmente preferia a companhia das mulheres, mesmo elas estando assim, tão bravas com ele.

Guardião ancestral

Thaís Nascimento e Sheila Martins

Ela brincava sozinha. Ela ainda brinca sozinha. E se deu conta de que já era assim no início. No passado, filha única, pai trabalhando e mãe ocupada. Foi aprendendo a fazer companhia pra si. Flores, bola, folhas, sol. Sempre gostou de desenhar essas imagens e sabe-se lá o porquê. Acrescentava elas num jogo da memória improvisado que aprontava. A mãe se desocupou um pouco. Foi ajudar Acai a colorir e recortar os papeizinhos em pequenos quadrados. Recrear por muito tempo a mãe já não poderia, pois tinha que se ocupar novamente com os afazeres da casa.

A menina tinha amigos, mas eram diferentes de Acai e por isso às vezes sumiam. Seu cachorro era seu verdadeiro parceiro. Passava todas as tardes brincando com ele no quintal. Corria rápido o Binta dava para ver as orelhas dele balançando com o vento. Ele tinha os olhos bem pretinhos, dois círculos perfeitos que observavam e protegiam a menina. Seu pelo parecia uma manta real de tão hipnotizante que era, também pretinho, intenso como escuro da noite. Binta não latia, não pedia para entrar em casa. Apenas esperava debaixo da árvore de goiaba a sua pequena protegida para se entenderem juntos como só eles sabiam.

Numa ida de Acai à casa da avó, ela passou a semana inteira com primos e primas. Se divertiu, brincou, riu tanto que as bochechas e a barriga doíam. Quando voltou pra casa e correu para o quintal para ver Binta, não o encontrou. Gritou seu nome, procurou em cada possível esconderijo e nada. Foi dormir vencida pelo cansaço de tanto chorar. Pela manhã, os olhos inchados da noite anterior procuraram a mãe pela casa. Ela estava na cozinha preparando algo que não tinha relevância para a filha. Acai quis compartilhar o que lhe afligia. A mãe não parecia dar atenção, assim como a filha não queria saber daquele preparo. Mas foi a palavra «Binta» sair da boca da menina e voar até os ouvidos de sua mãe para a mesma endurecer. Virou-se lentamente, assustada, e olhou para Acai. Descrente no que acabara de ouvir.

– O que você disse, filha?

– Binta. Diz a menina, sem compreender o olhar materno naquele instante.

Pois bem, tinha escutado certo. Ela procurou se acalmar. Buscou a garrafa d›água na geladeira e bebeu um copo cheio quase sem respirar. Perguntou de onde Acai tinha inventado aquele nome. A menina explicou de quem se tratava. Tentando parecer mais preocupada do que surpresa, a mãe disse que ajudaria a procurar o animal. Não conseguiu revelar à filha que havia conhecido Binta, mas que não se tratava de um animal. Foram à busca, mas nãoobtiveram sucesso. Binta não foi mais visto.

Com o passar do tempo, Acai não cresceu tanto como desejava, mas hoje a menina já é uma grande mulher negra. Trabalha com crianças numa escola da periferia. Tenta dar todo o afeto que lhe faltou receber quando era criança; no entanto, receberá com intensidade de Binta. Porém atualmente a menina que se transformou numa mulher já sabe o que a mãe havia ocultado. A sua mãe também havia conhecido Binta em sua infância. Brincava, corria e sorria com o cachorro. Até que sua avó, dona Bayo, uma griot muito respeitada, com seu olhar aguçado e toda experiência de vida, percebeu toda a situação. E com o coração repleto de boas memórias foi prosear com a neta. Contou que Binta era um guardião da família, sempre aparecia para as crianças e cuidava com todo esmero necessário. Todavia, no momento inesperado, precisava partir em busca de outra criança para encher de bem-querenças.

Irmãs

Gabriela Sousa e Thaís Nascimento

Era mais uma manhã da semana que parecia não ter fim. Anastácia, apressada, já estava a poucas ruas da faculdade, quando ouve uma das cantadas baratas de costume.

Que mulata! Ô morena!

Foi o quê que você disse? Ele arregalou os olhos. Não respondeu. Anastácia repete num tom mais grave a pergunta. Se cala novamente o homem branco que antes se sentia dono e a havia engolido com os olhos havia poucos minutos. Vendo a moça caminhando em sua direção, apertando entre os dedos o guarda-chuva que carregava, ele deu as costas e seguiu seu caminho. Parada e tentando se acalmar para continuar o percurso até a faculdade, chega sua amiga da aula de francês. Sophia percebe que Anastácia estava desestabilizada, mas prefere não perguntar o que houvera. Seguem juntas até seus destinos. Anastásia se sentia diferente. Foi a primeira vez que ela conseguiu rebater aquele homem que havia semanas a olhava como uma pessoa exótica ao encontrá-la. Não era exatamente força que sentia porque também tinha medo do que ele poderia fazer no dia seguinte ao passar por ali.

Ao entrarem na sala de aula, perceberam que o professor ainda não estava presente. Ela queria compartilhar o que tinha acontecido, mas sabia que Sophia não entenderia. Até poderia compreender o olhar e a fala invasiva do homem, mas não assimilaria o porquê da angústia com tais palavras. Anastácia tinha horror àqueles vocábulos. Era como se tivessem materialidade e a levassem direto ao tempo em que um homem branco semelhante àquele violentava covardemente suas ancestrais.

As aulas acabaram e ainda sentia um remoer por dentro por não ter conseguido dividir sua inquietação com ninguém. A universidade na qual estudava era quase inteiramente branca, com exceção apenas dela e de outros poucos irmãos e irmãs. Já era noite e não havia visto nenhum deles ali. Foi para casa.

Sexta-feira. Mais um dia. Já tinha acordado imaginando o percurso e o encontro com o homem branco importuno. Saiu de casa mais uma vez levando o guarda-chuva naquele dia quente e abafado. A distância do local temido se aproximava mais e mais. Já no exato lugar, quis apressar o passo e avistou uma outra mulher negra andando em direção contrária. Manteve os olhos fixos na moça confiante que, ao percebê-la também, lançou-lhe um sorriso acolhedor. Poucos minutos depois, a jovem já se encontrava distante dali e com uma força que a acompanhara. Quando se deu conta de que se sentia segura, olhou para trás. Não encontrou o homem indesejado. Continuou seu caminho. E sentia levar a sua semelhante consigo...

Monstro no armário

Jade Medeiros e Jaciara Nogueira

Há um monstro escondido dentro do armário. Com o quarto escuro, o menino morria de medo imaginando a quantidade de olhos, de antenas, se era peludo ou se tinha pele de jacaré. Também pensava de que maneiras ele poderia sair do armário para atacá-lo e trucidá-lo no meio da madrugada, lhe tirando de seus sonhos tranquilos.

Enchendo o peito de ar e de coragem, como sua mãe tinha ensinado, o menino resolveu levantar da cama. Acendeu o abajur, caminhou até o armário e, num misto de nervosismo e ansiedade, abriu as portas com os olhos meio fechados com medo do que poderia ver.

Seus olhos se arregalaram ao enxergar um corpo amontoado com manchas e um cheiro estranho. Mas, quando seu corpo pendeu para o lado ao tentar se afastar daquilo, os raios de luz do abajur chegaram lentamente ao armário. O menino se dá conta de que o corpo do "monstro" é feito de roupas amarrotadas, tem manchas de estampa encardida e o cheiro vem de seus bonés velhos logo ao lado. Era somente um cabide robusto de peças largas.

– Ufa! – pensou ao sentir todo aquele ar guardado nos pulmões se esvair pelas narinas, e os braços relaxarem. Percebeu que se havia apoderado da situação e o monstro do medo fora dominado. Apagou as luzes e se deitou, pronto para dormir sem ranger os dentes.

Alguns instantes depois, um pequeno barulho em baixo da cama o sobressalta e um sussurro lhe chega aos ouvidos:

– Psiu.

Oportunidades

Maíra Oliveira e Débora do Nascimento

A cerveja estava quente. Quem inventou esse negócio de litrão de cerveja num mora em Realengo.

– Não existe essa coisa de que seu pai é mau pai. Ele é ótimo, tá?! Vê seu irmão, Junior: a mãe dele – aquela encostada – não motiva ele a nada. A nada! Já seu pai, não: inscreveu ele no curso de mecânico, comprou material caro e tudo. 'Se ele queria ser mecânico?' Sei lá, e interessa? Interessa é que seu pai é um bom pai. Pergunta se o menino continuou? Continuou foi nada! Largou no primeiro mês. Seu pai pagando mensalidade e tudo. 'Se é longe para ele ir?', vixi... Pergunta besta. Né longe nada, menina. E eu? Já num andei muito de trem, madrugando, apertada que nem sardinha pra ir pra escola? O Junior não foi porque num quis. Fuma maconha, tu sabia?

A vizinha da casa dois acende o defumador. A lógica do fumacê segue os decibéis das vozes que ela quer expulsar. Vozes presentes neste plano ou no outro. Mas quase sempre é neste mesmo o que incomoda a vizinha.

– Seu pai é bom. Faz o que tem que fazer, paga tudo certin, viu? Tem gente que tem oportunidade na mão e faz o quê? Nada; joga fora. Como assim 'ele é criança e precisa de orientação?' Quer saber de orientação? Te digo uma armincoisa sobre orientação: criança, minha mãe já me levava pro bar pra ser rifada. Rifada! Veja você. Minha vó que me colocava pra dentro de casa. Todo dia no bar minha mãe perguntava: 'quem quer minha filha? olha os olhos azul dela', e minha vó já gritava de lá um 'passa já pra dentro'... Ai, ai, veja você, e eu achando que minha vó tava relando comigo. 'O que isso tem a ver?', como assim o que 'tem a ver?' Tem que ninguém me pegava não, tô aqui interinha, num tô?

O cachorro da vila mordisca a linguiça fria dum prato no chão.
Disputa com as moscas. Disputa com a arruda, cedro e alecrim.

– Eu que logo percebi aquele sem-vergonhamento e passei a não seguir mais minha mãe. Veja você: eu tinha 14 anos quando percebi. Junior tem 17, né criança mais, não. Já é homi. Orientação é dar um 'passa-fora' quando precisa, que nem minha vó fazia. Junior num sabe o que é um bom 'passa-fora'. Se eu tivesse pai feito o seu, que paga tudo direitin, onde eu tava? Tava é longe! Sendo rifa, que fui, tô completando o segundo diploma, veja você. Com pai como o seu, tava é longe. Mas Junior não, tá aí... perdido. Eu sendo mulher, rifada, tô indo longe, veja você. Junior é homem, onde num podia ir, né? O que teu pai fez pra você, deixa isso pra lá... isso é passado, já. E para com esse negócio de dizer que tudo é culpa do pai... Papo torto, tá ouvindo bem? Você e sua irmã não tão bem? Aí ó... com diploma e tudo.

O rádio já está começando a perder força: a cantoria está soando embargada. Não era assim, esse verso... Devia ter aceitado a garantia estendida.

– Arre, você não tem diploma ainda não?! Ah tá. Achei que tinha. Mas também, você foi logo arrumando filho, né?! Oh, Rosa, vem cá, mulher! [...] Você não ensinou sua filha a fechar as pernas, não? Com esse pai bom desse jeito, pagando tudo, o que tu tinha que dar era a educação, né, Rosa?! E olha, digo mais, essa cerveja tá quente já!

Proteção presente em cada irmã passante

Gabriela Sousa e Thaís Nascimento

Era mais uma manhã da semana que parecia não ter fim. · Anastácia, apressada, já estava a poucas ruas da faculdade, quando ouve uma das cantadas baratas de costume: "Que mulata! Ô morena!"

"Foi o quê que você disse?", falou pro cara. Ele arregalou os olhos. Não respondeu. Anastácia repete num tom mais grave a pergunta.

Calou-se novamente o homem branco que antes se sentia dono e a havia engolido com os olhos havia poucos minutos. Vendo a moça caminhando em sua direção apertando entre os dedos o guarda-chuva que carregava, ele deu as costas e seguiu seu caminho. Tentou se acalmar para continuar o percurso até a faculdade, quando viu chegar sua amiga da aula de francês.

Sophia percebe que Anastácia estava desestabilizada, mas prefere não perguntar o que houvera. Seguem juntas até seus destinos. Anastásia se sentia diferente. Foi a primeira vez que ela conseguiu rebater aquele homem que havia semanas a exotizava ao encontrá-la. Não era exatamente força que sentia porque também tinha medo do que ele poderia fazer no dia seguinte ao passar por ali.

Ao entrarem na sala de aula, perceberam que o professor ainda não estava presente. Ela queria compartilhar o que tinha acontecido, mas sabia que Sophia não entenderia. Até poderia compreender o olhar e a fala invasiva do homem, mas não assimilaria o porquê da angústia com tais palavras. Anastácia tinha horror àqueles vocábulos. Era como se tivessem materialidade e a levassem direto ao tempo em que um homem branco semelhante àquele violentava covardemente suas ancestrais.

As aulas acabaram e ainda sentia um remoer por dentro por não ter conseguido dividir sua inquietação com ninguém. A universidade na qual estudava era quase inteiramente branca, com exceção apenas dela e de outros poucos irmãos e irmãs. Já era noite e não havia visto nenhum deles ali. Foi para casa.

Sexta-feira. Mais um dia. Já tinha acordado imaginando o percurso e o encontro com o homem branco importuno. Saiu de casa mais uma vez levando o guarda-chuva naquele dia quente e abafado. A distância do local temido se aproximava mais e mais. Já no exato lugar quis apressar o passo e avistou uma outra mulher negra andando em direção contrária. Manteve os olhos fixos na moça confiante, que, ao percebê-la também, lançou-lhe um sorriso acolhedor. Poucos minutos depois, a jovem já se encontrava distante dali e com uma força que a acompanhara. Quando se deu conta de que se sentia segura, olhou para trás. Não encontrou o homem indesejado. Continuou seu caminho. E sentia levar a sua semelhante consigo...

Quarta-feira

Lu de Oliveira e Simone Ricco

Lude veio de outra cidade.

Desde menino percebeu sua identificação com as meninas, denunciada por sua leveza exibida no andar, no falar, no ser. Adolescente, entendeu que amava meninos, embora amasse amizade com meninas.

No meio das minas experimentava o riso que fazia tão bem a quem se percebia flutuante, em meio à gravidade do século XXI. Lude exercia rotação no céu da vida, trazendo luz pras noites coroadas pelo mistério das diversas luas.

Neste movimento lento, bonito, mas nada fácil,chegou até o Rio de Janeiro. Batalhava a vida. Conhecer, aprender, crescer, ser, conjugar tudo que merecia. Amar, estar com o amado: maravilha que agradecia cantando.

Foi em uma quarta-feira

Saí pra te procurar

Andei a cidade inteira

Mas cadê você?

Era quarta-feira e ela estava ali, olhando pela janela e agradecendo por estar perto de coisas que queria. Lude entraria em uma montagem teatral no dia seguinte: havia conflitos dentro, mas ela preferia pensar que, tirando a sujeira lá fora, tudo estava razoavelmente bem.

Estava muito ocupada consigo mesma, orbitando em torno do que havia feito e daquilo que faria. A voz da amiga, dona da casa, conectou-a com as notícias da noite: espanto, ousadia e covardia numa emboscada no Estácio, perto dali.

Foi procurar saber a quem exterminaram. Em questão de minutos entendeu o estado de choque da amiga, se ligou na relevância daquela preta-referência, parecida com ela na imagem e no modo de sorrir para lutar. O sono deu lugar ao estado de alerta. Um tribunal julga e abate corpos que incomodam. Seu corpo pesa. Sono, cadê você?

O dia amanhecia. Despertou da insônia quando as ideias clarearam: pôde ver que era uma felicidade ter Álvaro, amar. Apressou a saída, queria voltar para a casa onde viviam.

A volta não foi como esperava... Sem lua de mel, sem aconchego.

Aquela noite chegou para marcar o início do curso e o término com Álvaro, o homem que tanto amava. Fim de linha. Fora de órbita.

Correndo perigo, andou a Lapa inteira, de bobeira. Não encontrou ninguém. Passou no banco, não havia dinheiro. Na padaria, só havia sonho. Na loja de cosméticos, nem aquarela de esmaltes prendeu sua atenção. Ali por perto havia amigas, mas a separação era fato: viu-se separada de todas.

Precisava levantar a cabeça. Foi o que fez. E, ao dar de cara com um mototáxi, pediu que a levasse a um lugar que traduzia o que sentia: Parque das Ruínas.

A solidão apertou. Subiu até a parte mais alta do Parque. Do topo daquela montanha de saudade, angústia, injustiça, olhou adiante. Ao ver a Baía de Guanabara, experimentou ficar de bobeira noutro sentido. Não estava sozinha, a dor estava ali. Mas também havia a alegria de poder ouvir a música do vento e olhar a paisagem e as boas intervenções humanas. Teve certeza da ação divina e do quanto o homem criador é divino como um Deus.

Desceu faminta. O estômago cantarolava. Fome de justiça, sede de amor. Um mar de saliva encheu a boca. Devorou um pesado empadão. De sobremesa, um sonho bem doce e necessário.

Saiu pra procurar um esmalte vermelho. Vermelho-pipoca.

Reparar

Luciana Luz, Débora Nascimento e Simone Ricco

Camila (in)vestiu no vestido colorido de tecido angolano. Olhou-se no espelho, gostou do visual, mais alguns complementos e estaria perfeita para a ocasião.

O pai já tinha ido para o escritório. A mãe veio abrir a porta e desejar boa sorte em seu grande dia. Não precisava mais levar a filhota, que agora era motorizada: presente por seus dezoito anos.

Lá fora, Camila dirigiu rumo a seus planos. A primeira etapa foi uma passada no salão. Quase duas horas para cuidar do cabelo. Se achou um pouco estranha, nunca tinha encrespado os fios antes, mas gostou. Aquele visual afirmava o que precisava provar naquele momento. Cabelo volumoso, preparado para ressaltar a herança afro que todo brasileiro tem e todo bom cabeleireiro tira.

O próximo passo era uma passadinha na casa de Bia, amiga do colégio, que já tinha passado por seu grande dia. Quando chegou, Bia gostou do que viu:

– Amiga, você caprichou. Uma incrível transformação que vai ficar perfeita depois que acharmos o tom, preta.

Estavam seguras da habilidade com a maquiagem; além disso, estavam acostumadas a vencer e convencer. Entre conversas e provas de cores, chegaram à base que melhor escurecia, algo bem suave, uma arte bem longe do grotesco black face.

Riram da evolução e prosseguiram até concluir o ritual. Concluíram que estava linda:

– Praticamente uma deusa de ébano, mas sem aquele nariz que estraga tudo. "Brincou" Bia.

Camila se olhou pela última vez e teve certeza de estar no perfil. Abraçou a amiga, agradecida e confiante. Olhou o relógio e partiu com a pressa de quem avança para a reta de chegada.

Ao estacionar na universidade, estava ainda mais próxima de cruzar a linha que a separava da vitória. Saiu do carro repassando os ensinamentos, as falas de pessoas que entendiam bem do assunto, as técnicas de entrevista que deram certo com Bia. Já deu certo, pensava enquanto andava até o bloco indicado. Apresentou-se na recepção, de onde foi encaminhada para a sala de inscrição e, de lá, para a entrevista.

Saiu do setor indignada. Sua autodeclaração não fora aceita.

Sentiu o rosto corar, devia estar ainda mais distante da palidez habitual, mas nem assim... Pensou em tentar recurso, mas sequer tinha um documento atestando que era parda.

O que poderia fazer contra aquela injustiça? Nenhuma ideia... Ela, logo ela que tinha tudo o que queria, deixou de ter sua vaga na faculdade.

Tonta com aquele absurdo, ligou para o pai e disparou:

– Não deu certo! Alegaram que as cotas eram pra quem é mais atingido pelo racismo diariamente. Quem são essas pessoas? Nem existe racismo no Brasil! Na verdade, pai, estou sentindo na pele que existe racismo reverso aqui! Depois de me preparar tanto... tirei um ano sabático pra mochilar pela Europa! Fiz um superinvestimento: eu mereço esta vaga e tenho direito a esta oportunidade. Fazem propaganda da cota como uma oportunidade, como combate à desigualdade e vão me tratar de forma desigual por ter a pele clara ???

O pai, diretor da empresa que vendia os móveis para a universidade, ouviu perplexo e, após o desabafo da filha, reforçou:

– Nós vamos botar ordem nesta baderna! Eles olham para sua carinha de anjo: loira, cabelos lisos e acham que você não tem direito. Vamos brigar pelo seu direito; afinal, seu bisavô era negro. Não vamos aceitar esse privilégio do pessoal de pele mais escura. Vamos para a justiça brigar pela sua cota.

Ligação encerrada, a jovem foi se recompor, lavou o rosto, refez a make e prendeu os cabelos de acordo com a afro-conveniência necessária. O dia não teve a grandeza esperada, pelo menos merecia uma grande noite.

Seguiu em direção a uma resenha bem animada, um point que despertava sua curiosidade, lugar ideal para entrar e reparar o estilo afro. Pediu uma bebidinha refrescante, estar ali seria uma boa forma de refrescar a cabeça da estudante abalada pela injustiça e sedenta por reparação.

Solidão Compartilhada

Thaís Nascimento e Jade Medeiros

Ela brinca sozinha.

Ela ainda brinca sozinha e se deu conta de que já era assim no início.

No passado, filha única, pai trabalhando e mãe ocupada. Foi aprendendo a fazer companhia para si mesma. Flores, bola, folhas, sol. Sempre gostou de desenhar essas imagens e sabe-se lá porquê, usava seus desenhos para criar seu próprio jogo da memória improvisado. A mãe se desocupou um pouco e ajudou Açaí a colorir e recortar os papeizinhos em pequenos quadrados. Brincar, a mãe já não poderia porque tinha que se ocupar de novo.

A menina tinha amigos sim, mas eram diferentes de Açaí e, por isso, às vezes sumiam. Seu cachorro era seu verdadeiro parceiro. Passava todas as tardes brincando com ele no quintal. Corria rápido, o Binta. Olhos pretinhos, pretinhos. Dois círculos perfeitos que observavam e protegiam a menina. Seu pelo parecia uma manta real de tão hipnotizante que era, também pretinho como os olhos. Binta não latia, não pedia pra entrar em casa. Apenas esperava a sua pequena protegida debaixo da goiabeira. Eles se entendiam de uma maneira que só os dois sabiam.

As férias de fim de ano chegaram e Açaí, como de costume, foi para a casa da avó. Passou a semana inteira com outras crianças, primos e primas. Divertiu-se como não acontecia durante todo o ano, riu tanto que as bochechas e a barriga doíam. Mas o dia de voltar pra casa chegou e deixou Açaí, um pouco amuada, já sentindo a ansiedade angustiada pelos dias de solidão que viriam. "Ainda bem que tenho Binta para brincar comigo!" pensou a menina aliviada.

Voltou pra casa na companhia da mãe, ela seguiu para os afazeres domésticos e Açaí disparou para o quintal procurar por Binta. Não o encontrou. Gritou seu nome, procurou em cada possível esconderijo e nada. Foi dormir vencida pelo cansaço de tanto chorar. Pela manhã, os olhos inchados da noite anterior procuraram a mãe pela casa. Ela estava na cozinha preparando algo que não tinha muita importância para a filha. Açaí quis compartilhar o que a afligia. A mãe não parecia dar atenção e a filha não queria saber daquele preparo.

Mas quando a palavra «Binta» saiu da boca da menina e voou até os ouvidos de sua mãe, ela endureceu. Virou-se lentamente e assustada para a filha, descrente do que acabara de ouvir.

– O que você disse, filha? – a mãe indagou.

– Binta, mamãe! Onde ele foi parar!? – Açaí só chorava ...

A mãe realmente tinha escutado o que imaginava. Ela procurou se acalmar, buscou a garrafa d'água na geladeira e bebeu um copo cheio quase sem respirar. Perguntou de onde Acai tinha inventado aquele nome. A menina explicou de quem se tratava. Tentando parecer mais preocupada que surpresa, a mãe disse que ajudaria a procurar o animal. Não conseguiu revelar à filha que tinha conhecido Binta sim, mas que não se tratava de um cachorro.

Não cresceu tanto como desejava, mas hoje a menina já é uma grande mulher negra. Depois que os pais falecerem, Açaí decidiu que cuidaria de si mesma e foi trabalhar como professora da educação infantil na mesma escola que frequentara na infância. Ela ama o que faz e dá toda a atenção e carinho que os pequenos e pequenas precisam.

Certo dia, quando as festas de fim de ano se aproximavam, um menino novo chegou na cidade. Mesmo que o ano letivo já estivesse terminando, Acai estava totalmente aberta para recebê-lo em sua turma e faria tudo para que ele se integrasse com as outras crianças. O menino entrou na sala, a pele escura como um manto real, os cabelos crespos e negros. Os olhos pretinhos e brilhantes olharam no fundo dos olhos da professora e ela imediatamente lembrou-se de Binta.

Após o falecimento dos pais, ao arrumar seus pertences, Açaí encontrou uma pequena manta felpuda, roupinhas de menino, sapatinhos de bebê. Coisas que não tinham pertencido a ela. Dentro da fronha puída de um travesseirinho, uma fotografia: os pais recém-casados, felizes, com um bebê no colo. No verso estava escrito: "Binta com um mês". A mãe nunca tinha falado sobre o primogênito e irmão mais velho de Açaí que morrera com três meses de vida.

Tempo

Cecília Rita e Simone Ricco

Meses atrás, um amigo lhe mostrou a chamada para uma oficina de literatura. Ela recusou a ideia. Não teria tempo. Ou teria medo de transformar a rotina?

Com a insistência do amigo, nasceu dentro dela uma vontade de tentar, logo reprimida ao pensar na distância e no horário. Levaria muito tempo para ir e voltar. Teve dúvidas. Levou uma temporada pensando.

Era fato que havia tempos tinha também uma certeza: ser mãe não lhe bastava, queria ser ela. Passou anos sendo apenas mãe, dona de casa. Um filho especial preenchia grande parte do seu tempo. Lúcia acompanhava de perto todo o tratamento do seu menino e crescia com ele, tentando levar consigo aquela menina que fora, apaixonada pela brincadeira de criar histórias.

Último dia de inscrição. Um estalo. Lúcia reviu sua história, pegou pela mão a criança que não foi estimulada a escrever. Percebeu a subversão existente naquela menina que se cercou de leituras, a maioria sem referências sobre a pretura que havia nela e que aos poucos percebia em novos escritos que lia.

Não! Teria tempo! Pensando assim, foi até o computador e fez a inscrição. A tela mostrando o *status* de inscrição aceita fez valer o sentido do seu nome. Iluminada, sorria e intuía que os meses adiante transformariam definitivamente a rotina.

Toque de recolher

Erickson Dos Anjos Amaral e Cecilia Rita

O dia estava suspenso. Sábado de céu cinzento no morro Lastro Pequeno. Era dia do toque de recolher. Igrejas e terreiros do morro estavam fechados. As casas, silenciosas. Nos bares, alguma movimentação, de seres que se encontravam no *front* do desacreditar com o pagar pra ver. A ordem tinha sido dada pela manhã para toda a região. Estava evidenciada em todos os lugares de Lastro Pequeno: nos postes, em faixas, e reforçada pelos soldados de porta em porta. A base dos soldados era no pátio da Escola Municipal de Lastro Pequeno. Logo de manhã duas Kombis e um caminhão aproximaram-se de uma das entradas. As poucas pessoas que estavam no bar próximo olhavam em um misto de confusão e espanto. Os soldados divididos em grupos delineados pelas funções e idades levavam para os veículos suas ferramentas, grandes quantidades de caixas, cadeiras, alimentos e fogos de artifícios. Todos esses instrumentos eram importantíssimos para o sucesso da operação que duraria todo dia. Chegaram à praça principal da comunidade e descarregaram toda a carga. Das janelas das casas, no entorno da pracinha, olhares ansiosos espreitavam toda a movimentação. Descarregada toda a carga, a líder do movimento deu o sinal de aval para o começo da arrumação no terreno. Tudo foi ajeitado rapidamente, pois faltavam poucos minutos para começar a operação. Soldados reunidos junto à líder começaram a contagem. Compassados, no mesmo ritmo, gritaram para que o máximo de gente da comunidade pudesse ouvir "10, 9, 8, 7, 6, 5, 4, 3, 2, 1.boom!" A explosão se fez. Iniciava oficialmente o toque de recolher. As pessoas dos vários pontos da comunidade, ao ouvirem o foguetório, sinal dado, se lançaram às ruas. Corriam em direção à praça onde balas estavam sendo ofertadas de montão. Seres de diversas idades eram recebidos pelos Soldados da sabedoria. Assim eram conhecidos no morro.

Devido às suas determinações, valentias e coragens na missão de servir e partilhar o conhecimento a toda comunidade. Nome cunhado pelo diretor, que tinha soltado os fogos, e a professora Clementina Luz. Os dois eram coordenadores do movimento realizado pela escola, para a comunidade, denominado Toque de Recolher, caminhos não vividos. E naquele dia comemoravam um ano de projeto. Os Soldados do saber divididos por séries atendiam a cada grupos de pessoas. As turmas das crianças recebiam os adultos e os mais idosos. As séries do 6º ano pra cima recebiam as outras crianças da comunidade. Das caixas saíam novos livros, cadernos, canetas, lápis e um saquinho com lanche. Durante a sessão de filmes, se ofertavam balas de tamarindos e de outros sabores. A galera do 5º ano produzia a oficina de alfabetização. Ensinava as pessoas a escreverem seu nome. Teatro com peças infantis eram realizado. Tudo isso culminou na festança no fim do entardecer regada a muita comida, bebida, cantos, danças e abraços repletos de vida. Dizem que o projeto continua firme e forte duas vezes por mês. E que desde daquele sábado, em que o morro Lastro Pequeno renasceu da cinzas semeando e recolhendo caminhos não descobertos, a comunidade ficou conhecida nas redondezas e cidades vizinhas como Horizontes profundos.

Toque Njila

Sheila Martins e Simone Ricco

Desde pequenina viveu rodeada de claras intenções de cuidado. Ensinaram a seus pais uma assepsia comandada por mãos frias, que nunca limpariam a nódoa primordial. A receita da vó era atraso, nunca um saber. Pra vida boa, o caminho era esquecer banho de ervas, investir no banho de loja, maquiar.

Seu corpo encantava o movimento. Dançar seria fácil. E ela, com tanto talento, não ia dançar um ritmo fácil e vulgar de fundo de terreiro. A família se orgulharia em vê-la dançar um bom clássico. Dançou. A técnica foi aprimorada, mas a melanina excedia o padrão da bailarina clássica.

Sucessivas pontinhas em apresentações. Eliminada em audições. Foi cansando e compartilhando uma decepção que parecia não abater os pais, felizes em ver a filha-exceção. Na cabeça dela a regra foi ficando clara …

Gostava da dança. Sentia necessidade de manter a alegria ao dançar. Quis variar. Quis viajar. Pesquisou ritmos que a conectaram com o outro lado do oceano. Desviou o olhar dos passos fossilizados, para contemplar: ekonda sacadé, cavacha, makossa, ndombolo, zighlity, kuduro, tarraxinha. Um baile de tradição oral, apresentando danças e ensinando ritmos àquela mais nova.

Mirou

Admirou

Experimentou

Entendeu o que leu no texto de Senghor: "Sinto o outro, danço com o outro, logo existo."

Quis decifrar aqueles semelhantes ricos em diferenças. E foi em busca da informação. Tantas sonoridades, tantos passos simbólicos, coreografias históricas, línguas com musicalidade ímpar.

Ao ouvir uma canção em *kimbundo*, o refrão destacou a palavra Njilla – o caminho. O ritmo da retomada da história uniu mente, música e movimentos.

Não vê a hora de viajar pra ver-ouvir ao vivo o toque de tanto conhecimento. Enquanto o não vigora, experimenta sim o que está por aqui e vai tomando posse da herança que a rodeia. Reelabora imagens, reativa banhos, dialoga em novas línguas e linguagens.

Seus passos seguem atentos ao charme da dança que explode na rua, ligados na fartura de referências que reelaboram a coreografia. Sons afrodiaspóricos (res)soam. Partiu Dutão!

Caminhos abertos.

História sobre nada, um relato no trem

Débora do Nascimento e Thaís Nascimento

De cara atravessaram quatro vagões, quando entraram no trem com seus latões de cerveja já quente nas mãos. Seus blacks saltitavam a cada gargalhada.

Incomodaram alguns passageiros.

Olhares de lado, leves sorrisos de canto de boca vinham de passageiros possivelmente infelizes. Mas havia os satisfeitos por se reconhecerem naquela alegria lúgubre. Outros, debochados, que julgavam enquanto invejavam desejável estar como eles. Mas existiam outros indiferentes com os olhos voltados pra suas próprias telas de celular.

Corriam, giravam, saltitavam, sorriam. Estavam alegres. Ele giravam, como numa ginga. Blazer, rodopiando ao redor da parceira. Ela saltitava.

Estava de saia reta preta e blusa de manga azul. Uma combinação condenada pela estética padrão. Seu corpo era deliciosamente arredondado, nela aquela roupa caía muito bem, contrariando os padrões. Era linda, era plenanem tudo.

– Eles devem ter tido um dia bem legal importante. Era o que imaginava a passageira, que sorria discretamente enquanto os observava.

Ao saltar do trem, ele disse: "obrigada por salvar essa merda de dia!"

Saíram rápido. A passageira do sorriso discreto enrugou a testa. "Dia difícil e tantas gargalhadas?"

Desceu duas estações antes da sua com o telefone em punho:

– Amiga, se veste bem linda. Tô indo te buscar pra gente tomar uma cerveja. Por quê?

Porque a vida é muito curta, bicha!

Escravização.
Um passo além, a liberdade

Otávio Jr. e Rachel Carvalho

A pele marcada pelas pedras sangrava e o vermelho que dela corria vibrava em força e luta. Assim era a vida cotidiana de um escravizado que pensava e desejava reconquistar seu mundo além das grades que lhe foram impostas. Era um homem que sonhava. Negro, na escuridão de sua pele encontrava as forças de sua resistência.

Nunca soubera o que era a desistência, por isso enfrentou diversas tentativas de fuga, porém seus braços, largos e abertos em voo, sempre eram atados. Sempre quando tocava a liberdade, estalava em suas costas o chicote da realidade, e era este o mesmo que o fazia desejar ainda mais sair dali.

Foram muitas tentativas de não mais estar aprisionado. Liberto jamais aceitara o cativeiro que contradizia a amplidão de seu próprio nome. E foi por isso que, certa vez, durante uma de suas fugas, deparou-se com o Coronel *"tiro certo"*, mas não teve medo, olhou-o nos fundos de seus olhos como quem buscasse seus ouvidos, distantes de muitas formas, para que, enfim, olhassem e contassem aos demais que aquele homem que flagara em voo livre não mais lhes pertencia, nunca pertencera.

Depois de golpeá-lo com a coragem de seu olhar, tudo o que o Coronel pode ver foi o vulto de Liberto desaparecendo pelo horizonte. Tentou dar-lhe um tiro dos mais covardes, pelas costas, mas o pó da pólvora de sua bala foi o suficiente para que, mesmo já cego por sua maldade, não pudesse ver que o corpo negro livre seguia em sua corrida. E voo. Em passos e braços largos em direção a tão cara liberdade.

Liberto foi e estava, para que, com ele, outros libertos fossem e permanecessem. Não teria medo nem saudade daquela vida que já abandonava junto às pegadas de seus pés. Tinha a fome de viver em liberdade, e sabia que podia, enfim, vivê-la.

Sua teimosia e coragem o acompanharam e germinaram por entre os seus. Irmãos e irmãs. Libertos e libertados. Morreu sorrindo, e debaixo da terra ele foi semente. Brotou da liberdade. Em liberdade. Para que sempre que passassem por ali, soubessem que daquela árvore nem as raízes nem os largos galhos poderiam acorrentar.

Zé Pererê

Isabella Godoi e Maíra dos Santos Oliveira

Num atravessamento, ao lado de um terreiro de umbanda, vive um saci. Faceiro, deixa louquinha-da-silva a Dona da charmosa e diminuta Casa da Encruzilhada.

Zé Pererê era o seu nome. Fora batizado pelo vento que virara a esquina num tempo que nem se recorda mais. Se aproveitava do caos da mente humana, que fazia da bagunça uma presença constante, e pegava, temporariamente, agrados e guardados. Aprendera a sumir com o celular: nesses novos tempos de saci há de se reiventar! Mas tem uma que funciona sempre: trocava a chave de lugar. Era batata. E mamão no mel.

Falando em chave, outro dia mesmo, aconteceu um fato fatídico, com ares de anedota, na Casa da Encruzilhada. Senta aí. Vou lhe contar.

Numa noite sem lua, Dona-da-Casa recebeu amigos. Jogaram muita conversa fora e já iam pela noite adentro, quando lá pelo quinto café, João e Miguel decidiram que era hora de pra casa voltar. Se despediram já com os péssaltando fora do portão. Foi quando Miguel percebeu que sua chave de casa não estava no bolso. Tiveram que girar os calcanhares e se colocar a procurar. Em cima da mesa? Nada. No sofá? Muito menos. Nas cadeiras? No puff onde sentou... Nada. Miguel ficou cabreiro, desanimado. Mas, quem sabe desse sorte de ter alguém em casa que lhe abrisse o portão? Foi nesse pensamento que se puseram, cada qual, no caminho de casa.

Dona-da-Casa calejada pela peleja com o negrinho logo desconfiou que Zé Pererê tinha aprontado mais uma das suas. E tratara de, no truque do risinho sarcástico, evocar o saci. Descoberta a travessura, a chave teria que voltar para quem a pertencia. Era regra. E lá foi Zé Pererê contrariado, em seu dever de buscar Miguel no meio da rua fazendo ventar ao contrário para mudar sua rota rumo a Casa da Encruzilhada.

Miguel logo que chegou encontrou a chave no braço do sofá. Que surpresa! Como não havia descoberto a chave ali durante a procura? Mistério, que foi logo revelado pela Dona-da-Casa que passando novo café narrou as muitas peripécias do saci zombeteiro, fazendo rir Miguel e Zé Pererê, que ouvia escondido, com medo de ir pra garrafa.

Zé Pererê sempre acha que vai passar batido, mas mais hora menos hora Dona-da-Casa o descobre. Enquanto isso se diverte às custas de suas traquinagens com os transeuntes da Encruzilhada.

Mas de uma coisa ele bem sabe: ai dele mexer nas panelas daquela Dona, mulher que a comida sempre dizem cheirar tão bem.

Voz negra ecoa

Rachel Carvalho e Lu de Oliveira

Era grito, punho, canto, sonho, História e ela. Unidades. Com uma. Em uma. Ela era isso e muitos. Trincheiras e troncos existiam, sempre existiram. Mas recriou-os. Travestia-os. Usava-os como palco para que os muitos que abraçava dentro de si com ela, em unidade, fossem mais fortes gritos, punhos, cantos, História e sonhos. Eles e ela. Mais fortes. Ela era isso e muitos. E por muitos ser, por muitos sua voz soube dizer. Tentou. Fazer e dizer. Por todos os muitos o que os três séculos quiseram esconder. Mas fez silêncio. Nove vezes fez silêncio.

A mão que esconde os lábios e faz ser engolida a voz é a mesma que cobre com um lençol branco o corpo rendido pelo chicote de prata da caneta que não assina a alforria?

Nove vezes muitas vezes vários de nós.

Escorre e corre o grito em sangue. Perde-se. Perde-o. Perde a vida. Foi perdida. Deixa, no lugar, o silêncio que fizeram ser feito. Nove vezes. Nove vezes quantas outras vezes?

No negro da noite foi anoitecida a pele negra. Não voltará a amanhecer. Muitas dessas. Muitas dessas com ela. Não houve estrelas na noite. Choveu silêncio. Nove vezes fez silêncio. Não há fôlego. Agora. Não se quer mudo o grito. Nunca. Há lágrima. Lágrimas que percorrem o rosto. Tiram à força a mão. Atravessam os lábios. Salgam a língua. Amargam os verbos. Erguem-se em voz-vozes-nós.

Uma mulher negra.

Duas pessoas mortas sobre um mar de corpos negros.

Três letras tentam reduzir uma favela.

Quatro quilômetros Anderson percorreu pela voz da mulher negra.

Cinco, seis, sete, oito, nove...

Quantas vezes forem necessárias a voz negra ecoa.

Malê Editora e Produtora Cultural Ltda.

www.editoramale.com

contato@editoramale.com.br

Esta obra foi composta em Arno Pro Light (miolo),
impressa na gráfica PSI sobre papel pólen bold 90g,
para a Editora Malê, em São Paulo, em janeiro de 2019.